WOLFGANG WIPPERMANN
FASCHISMUSTHEORIEN

ERTRÄGE DER FORSCHUNG

Band 17

WOLFGANG WIPPERMANN

FASCHISMUSTHEORIEN

Zum Stand der gegenwärtigen Diskussion

5., völlig neu bearbeitete Auflage

WISSENSCHAFTLICHE BUCHGESELLSCHAFT

DARMSTADT

Die erste Auflage erschien 1972.

CIP-Titelaufnahme der Deutschen Bibliothek

Wippermann, Wolfgang:
Faschismustheorien: zum Stand der gegenwärtigen
Diskussion / Wolfgang Wippermann. – 5., völlig
neubearb. Aufl. – Darmstadt: Wiss. Buchges., 1989
(Erträge der Forschung; Bd. 17)
ISBN 3-534-06105-5
NE: GT

 Bestellnummer 06105-5

5., völlig neu bearbeitete Auflage
© 1989 by Wissenschaftliche Buchgesellschaft, Darmstadt
Satz: Setzerei Gutowski, Weiterstadt
Druck und Einband: Wissenschaftliche Buchgesellschaft, Darmstadt
Printed in Germany
Schrift: Linotype Garamond, 10/11

ISSN 0174-0695
ISBN 3-534-06105-5

INHALT

EINLEITUNG
ZUR 5., VÖLLIG NEU BEARBEITETEN AUFLAGE

Was ist Faschismus:
politischer Kampfbegriff oder wissenschaftliche Theorie?

„Der Faschismus hat einen Namen, der an sich nichts sagt über den Geist und die Ziele der Bewegung. Ein fascio ist ein Verein, ein Bund, Faschisten sind Bündler und Faschismus wäre Bündlertum."[1]

Mit diesen Worten hat Fritz Schotthöfer schon 1924 auf einen sehr wichtigen, aber bis heute wenig beachteten Sachverhalt hingewiesen. Im Unterschied zu Termini wie Absolutismus, Konservativismus, Liberalismus, Sozialismus, Kommunismus etc. ist der Begriff 'Faschismus' gewissermaßen inhaltslos, er verweist nur auf das 'Bündlerische' einer Erscheinung.

'Faschismus' stammt, wie Schotthöfer richtig bemerkt, vom italienischen Wort für Bund: *fascio*.[2] Doch sowohl 'Bund' wie *fascio* haben eine symbolhafte und emotionsgeladene Bedeutung. Das deutsche Wort 'Bund' hat seine ursprünglich religiöse Aussagekraft (Alter und Neuer Bund der Bibel) niemals ganz verloren.[3] Deutlich wird dies noch an den 'Bünden' und 'Orden', die in der Weimarer Republik entstanden und sich schon durch diese Bezeichnung von den Parteien abheben wollten. Ähnlich ist es beim italienischen

---

[1] Fritz Schotthöfer, Il Fascio. Sinn und Wirklichkeit des italienischen Fascismus, Frankfurt a. M. 1924, S. 64.

[2] Zur Begriffsgeschichte vor allem: Wolfgang Schieder, Faschismus, in: Sowjetsystem und Demokratische Gesellschaft. Eine vergleichende Enzyklopädie, Bd. 2, Freiburg i. Br. 1968, Sp. 439–477.

[3] Vgl. dazu den begriffsgeschichtlichen Artikel von: Reinhart Koselleck, Bund, Bündnis, Föderalismus, Bundesstaat, in: Otto Brunner/Werner Conze/Reinhart Koselleck (Hrsg.), Geschichtliche Grundbegriffe. Historisches Lexikon zur politisch-sozialen Sprache in Deutschland, Bd. 1, Stuttgart 1972, Sp. 582–671. Zu den 'Bünden' und 'Orden' in der Weimarer Republik: Wolfgang Wippermann, Der Ordensstaat als Ideologie. Das Bild des Deutschen Ordens in der deutschen Geschichtsschreibung und Publizistik, Berlin 1979, S. 242 ff.

Wort *fascio*, das aus dem lateinischen *fascis*, dem Rutenbündel der römischen Liktoren, abgeleitet ist. Das Rutenbündel *(fascis)* insgesamt war ein Herrschaftszeichen der römischen Republik. Die zum Bündel vereinigten Ruten sollten dokumentieren, daß eine geschlossene Gemeinschaft stärker ist als der einzelne. Das in das Rutenbündel gesteckte Beil war ein politisches und ein religiöses Symbol, denn mit dem Beil wurden sowohl Opfertiere getötet wie Menschen hingerichtet, die sich gegen die staatliche Ordnung vergangen hatten. Im italienischen Wort für Bund, *fascio*, klingen diese verschiedenen Bedeutungsinhalte noch an. Daher ist es nicht verwunderlich, daß sich verschiedene politische Organisationen dieses symbolhaften Begriffs bedient haben. Im ausgehenden 18. Jahrhundert waren es die italienischen Jakobiner, die ihre Gruppen *fasci* nannten. Dies taten dann im 19. Jahrhundert auch verschiedene Gruppen und Organisationen der sozialistischen und syndikalistischen Linken. Begriff und Symbol des *fascio* stammen also ursprünglich aus der linken politischen Tradition Italiens.

An diese linke politische Tradition knüpfte das ehemalige führende Mitglied der italienischen Sozialistischen Partei, Benito Mussolini, an, als er 1915 die Organisationen, die durch lautstarke Propaganda und durch Aufmärsche die italienische Regierung zum Kriegseintritt auf der Seite der Entente bewegen wollten, *fasci d'azione rivoluzionari*, also: 'Bünde der revolutionären Aktion', nannte.[4] 1919 bildete Mussolini aus ehemaligen Kriegsteilnehmern die *fasci di combattimento* – 'Kampfbünde'. Diese *fasci* glichen mehr Terrororganisationen und sollten keine Partei im herkömmlichen Sinne sein. Doch 1921 gründete Mussolini dann doch eine Partei, den *Partito Nazionale Fascista*. Wörtlich übersetzt heißt dies 'National-bündlerische Partei'. Dies ist einmal widersprüchlich – ein 'Bund' ist etwas anderes als eine 'Partei' – wie insoweit inhaltslos, als die Kennzeichnung als 'bündlerisch' nichts über die Ziele dieser Partei aussagt.

---

[4] Zur Frühgeschichte des italienischen Faschismus vor allem die 'klassische' Studie von: Angelo Tasca, Nascita e avvento del Fascismo. L'Italia dal 1918 al 1933, Florenz 1950 (dt. Übersetzung unter dem Titel: Glauben, Gehorchen, Kämpfen. Der Aufstieg des Faschismus, Wien 1969. Ferner: Renzo De Felice, Mussolini, Bd. I. Il rivoluzionario 1883–1920, Turin 1965; Roberto Vivarelli, Il Dopoguerra in Italia e l'Avvento del fascismo (1918–1922), Neapel 1967; Adrian Lyttelton, The Seizure of Power. Fascism in Italy, New York 1973.

Doch darauf kam es gar nicht mehr an. Die Mitglieder der *fasci*, die *fascisti*, hatten sich bereits durch ihre politischen Taten einen Namen gemacht. *Fascismo* war zu einem neuen politischen Begriff geworden. Er charakterisierte eine politische Bewegung, die sowohl antisozialistische wie gewisse antikapitalistische Ziele verfolgte, die mit ihren uniformierten und zum Teil bewaffneten Gruppen *(fasci)* skrupellos Gewalt gegen ihre politischen Gegner ausübte und die auf diese Weise einen neuen politischen Stil mit ebenso spezifischen wie neuartigen pseudoreligiösen, militaristischen und betont männlichen Riten und Ritualen schuf.

Der Schöpfer und zunächst keineswegs allmächtige 'Führer' *(duce)* der neuen politischen Bewegung hat selber immer wieder betont, daß Begriff und Sache des *fascismo* ein Produkt der 'Tat', der 'Aktion' seien.[5] Das, was Mussolini die 'Doktrin' *(dottrina)*, die 'Lehre' oder 'Ideologie' des *fascismo* nannte, wurde gewissermaßen nachgeliefert. Mussolini vertrat zwar in seinen Reden und Schriften die These, daß die 'Lehre' des *fascismo* ebenso richtig wie allgemeingültig sei, doch bis weit in die 30er Jahre hinein war er der Meinung, daß dieser *fascismo* kein 'Exportartikel' sei. Mussolini wollte die Macht in Italien haben und wollte dieses Land, nicht etwa die Welt verändern. Doch genau dies wurde ihm sehr bald von seinen Gegnern unterstellt. Es waren nicht Faschisten, sondern 'Antifaschisten', die zuerst den Begriff *fascismo* zur abwertend-diffamierenden Charakterisierung von politischen Erscheinungen – Personen, Parteien, Regierungen – außerhalb Italiens verwandt haben.

Man weiß bis heute nicht genau, wer als erster die Selbstbezeichnung der Partei Mussolinis auf andere politische Erscheinungen außerhalb Italiens übertragen hat. Sicher ist nur, daß diese Übertragung und gleichzeitige Bedeutungserweiterung des Begriffs *fascismo* unmittelbar nach dem 'Marsch auf Rom' vom Oktober 1922 nahezu zeitgleich in sozialistischen wie kommunistischen Publikationen anzutreffen ist.[6] Seit Ende 1922 wurden Politiker, Parteien und Regierungen außerhalb Italiens als 'Faschisten' (bzw. zunächst noch in der italienischen Form als 'Fascisten') bezeichnet und diffamiert zugleich. Der damalige Vorsitzende der Kommunistischen Internationale, Grigori Sinowjew, sah ebenfalls schon Ende 1922 im 'Faschismus' ein gesamteuropäisches Phänomen, dem er eine epo-

---

[5] Zur Ideologie Mussolinis vor allem: Ernst Nolte, Der Faschismus in seiner Epoche, München 1963.

[6] Fundstellen in den Kapiteln 1.1 und 1.2.

chale Bedeutung zuerkannte. Auf dem IV. Weltkongreß der Kommunistischen Internationale, der vom 5. November bis 5. Dezember im damaligen Petrograd stattfand, erklärte er:

„Es muß uns klar sein, daß das, was in Italien geschehen ist, keine lokale Erscheinung ist. Mit Notwendigkeit wird es kommen, daß wir in anderen Ländern dieselben Erscheinungen vielleicht in anderer Form erleben werden [...] Es ist vielleicht unvermeidlich, daß wir eine solche Periode mehr oder weniger fascistischer Umwälzungen in ganz Zentral- und Mitteleuropa bekommen ..."[7]

Die Selbstbezeichnung der Bewegung bzw. Partei Mussolinis war damit von Gegnern dieses allgemeinen 'Faschismus' auf andere nichtitalienische Erscheinungen übertragen worden. 'Faschismus' war zum Kampfbegriff von, wie sie sich selber nannten, 'Antifaschisten' geworden.[8] Als 'Antifaschisten' bezeichneten sich neben Kommunisten und Sozialisten auch Angehörige liberaler, christlicher und selbst konservativer Parteien in verschiedenen Ländern Europas und dann der ganzen Welt. Die Innenpolitik dieser Länder stand in den 20er und 30er Jahren im Zeichen dieses Kampfbegriffs. Im besonderen Maße trifft dies auf den Spanischen Bürgerkrieg zu, der durch die aktive Parteinahme von 'Faschisten' und 'Antifaschisten' aus verschiedenen Ländern Europas und der Welt den Charakter eines ideologisch geprägten, europäischen, ja, weltweiten 'Bürgerkrieges' erhielt. Auch der Zweite Weltkrieg wurde häufig als globaler Kampf zwischen 'Faschismus' und 'Antifaschismus' dargestellt. Der Sieg über den, wie es häufig undifferenziert hieß, 'Faschismus' in Italien und Deutschland führte in verschiedenen Ländern Europas zu sog. 'antifaschistischen Umwälzungen' und 'Reformen'. Dies gilt vor allem für die osteuropäischen Länder, die nach 1945 von sowjetischen Truppen besetzt und kommunistisch wurden. Hier wurden (und werden bis heute) innenpolitische Gegner gleich welcher Richtung als 'Faschisten' gebrandmarkt und verfolgt. Die alleinherrschenden kommunistischen Einheitsparteien rühmen sich ihrer tatsächlichen oder vermeintlichen Verdienste im

---

[7] Protokoll des Vierten Kongresses der Kommunistischen Internationale. Petrograd/Moskau vom 5. November bis 5. Dezember 1922, Hamburg 1923 (Reprint Mailand 1963), S. 57.

[8] Eine umfassende Monographie zur Geschichte des 'Antifaschismus' fehlt m. W. Vgl. den Artikel von: Charles F. Delzell/Hans Mommsen, Antifaschismus, in: Sowjetsystem und Demokratische Gesellschaft, Bd. 1, Freiburg i. Br. 1966, Sp. 220–237.

'antifaschistischen Widerstandskampf'. Der Begriff des 'Antifa-schismus' hat hier den Charakter einer Ideologie, die repressiven und integrativen Zwecken dient und den Bestand der Einparteien-systeme legitimieren soll.

Doch auch in einigen parlamentarisch regierten Ländern hat der Begriff Antifaschismus eine integrierende politische Bedeutung und Funktion. Besonders deutlich ist dies in Italien, wo sich nahezu alle Parteien, von den Kommunisten bis hin zu den Christdemokraten auf den 'antifaschistischen' Widerstand *(Resistenza)* berufen, wobei sie vor allem die Verdienste ihrer jeweiligen Partei besonders heraus-streichen. Derartige Bestrebungen sind mit dem, wohlgemerkt ita-lienischen, Witz karikiert worden, wonach Italien nicht vierzig, sondern achtzig Millionen Einwohner habe, weil man zu den 40 Millionen, die bis 1943, bis zum Sturz Mussolinis, Faschisten waren, noch die 40 Millionen Italiener hinzuzählen müsse, die nach 1943 Antifaschisten waren bzw. gewesen sein wollen.[9]

In Deutschland können wir dagegen eine ganz andere Entwick-lung beobachten. Zunächst hatte auch hier der Begriff 'Antifaschis-mus' einen ebenso guten wie begehrten Klang. In allen Besatzungs-zonen waren viele Menschen bemüht, irgendwelche Verdienste im 'antifaschistischen Widerstand' anzugeben, um auf diese Weise 'ent-nazifiziert' zu werden. In der Sowjetischen Besatzungszone konnte man dies auch nachträglich erreichen. Das heißt, daß ein aktives Ein-treten für die kommunistisch gelenkte 'antifaschistische Neuord-nung' als Beweis einer 'antifaschistischen' Gesinnung angesehen wurde. Diese 'Chance' hatten selbst sogenannte 'kleine PGs', d.h. ehemalige Mitglieder der NSDAP. Derartige Praktiken der dama-ligen SBZ und späteren DDR, die sich ja nicht scheute, selbst die

---

[9] Vgl. dazu vor allem die, jetzt auch in deutscher Übersetzung vorlie-genden, Arbeiten von: Renzo De Felice, Die Deutungen des Faschismus, Göttingen 1980 (ital., Turin 1969); ders., Der Faschismus. Ein Interview von Michael A. Ledeen, Stuttgart 1977. Sehr instruktiv sind die Literaturbe-richte von: Jens Petersen, Der italienische Faschismus zwischen politischer Polemik und historischer Analyse, in: Geschichte in Wissenschaft und Un-terricht 27, 1976, S. 257–272; ders., Zum Stand der Faschismusdiskussion in Italien, Nachwort zu: De Felice, Deutungen des Faschismus, S. 114–144; ders., Faschismus und Industrie in Italien 1919–1939, in: Gesellschaft. Bei-träge zur Marxschen Theorie 7, Frankfurt a.M. 1976, S. 133–189; ders., Die Außenpolitik des faschistischen Italiens als historiographisches Problem, in: Vierteljahreshefte für Zeitgeschichte 22, 1974, S. 415–457.

Berliner Mauer zum 'antifaschistischen Schutzwall' hochzustili-
sieren, riefen naturgemäß in den Westzonen und in der späteren
Bundesrepublik starke Kritik hervor.[10]

Kritisiert wurde jedoch bald nicht nur die politisch-ideologische
Vereinnahmung, sondern der Begriff 'Antifaschismus' selber. Obwohl sich vor 1945 keineswegs nur Kommunisten, sondern auch
viele Sozialdemokraten und einige liberale und christliche Gegner
des Nationalsozialismus als 'Antifaschisten' bezeichnet und gefühlt
hatten, galt 'Antifaschismus' bald als ein typisch kommunistischer
Propagandabegriff. Dieser Ideologieverdacht wurde dann auch auf
den Gattungsbegriff 'Faschismus' ausgedehnt. Unter 'Faschismus'
wurden in der Bundesrepublik (und in einigen anderen westlichen
Ländern) bis in die 60er Jahre hinein die Partei und das Regime Mussolinis verstanden. Zur Charakterisierung anderer Varianten des
(allgemeinen) Faschismus benutzte man meist die jeweiligen Selbst-
bezeichnungen der betreffenden Parteien und Regime. So wurde die
deutsche Variante nicht mehr als 'deutscher Faschismus' oder 'Faschismus in Deutschland', sondern als 'Nationalsozialismus',
'Drittes Reich', 'Staat Hitlers' oder als Erscheinungsform des 'Totalitarismus' bezeichnet.[11] Die Teilung Deutschlands (und Europas)
manifestierte sich in dieser Hinsicht auch in der Sprache. Östlich
der Elbe sprach (und spricht man bis heute) von 'Faschismus', westlich von 'Nationalsozialismus', 'Drittes Reich', 'Staat Hitlers' und
von 'Totalitarismus'.

Doch Ende der 60er Jahre kam es zu einem Wandel. Ausgelöst
wurde er vor allem durch die Veröffentlichung von Ernst Noltes
Buch über den ›Faschismus in seiner Epoche‹.[12] Noltes These, wonach der 'Faschismus' ein gesamteuropäisches Phänomen der Zwischenkriegszeit gewesen sei, fand in der Öffentlichkeit ein breites
Echo. Der Begriff 'Faschismus' wurde nun sowohl in der wissenschaftlichen wie politischen Diskussion wieder benutzt, um neben
der Partei und dem Regime Mussolinis auch andere historische und
politische Erscheinungen wie den 'Nationalsozialismus' zu charak-
terisieren. Wiederum angeregt durch Noltes Arbeiten zur Geschichte verschiedener faschistischer Bewegungen im Europa der

---

[10] Dazu die Skizze von: Wolfgang Wippermann, Antifaschismus in der
DDR: Wirklichkeit und Ideologie, Berlin 1980 (= Beiträge zum Thema Widerstand 16).

[11] Siehe unten Kap. 1.4, S. 54 ff. und 3.2 S. 96 ff.

[12] Siehe unten Kap. 2.6, S. 87 ff.

Zwischenkriegszeit, entstanden in der Bundesrepublik und in anderen westeuropäischen Ländern sowie in den USA verschiedene Studien, die sich mit der Geschichte und Struktur dieser 'Faschismen' sowie ihrer Gemeinsamkeiten und Unterschiede beschäftigten.[13]

Leider wurden gerade diese vergleichenden Studien nicht intensiv genug betrieben und vor allen Dingen nicht hinreichend rezipiert. Vielfach beschränkte man sich auf die Rezeption von verschiedenen, vor allem marxistischen, Faschismustheorien der Zwischenkriegszeit. Anstatt die Mahnung des großen italienischen Faschismusforschers Angelo Tasca[14] zu beherzigen und zunächst einmal die 'Geschichte des Faschismus' bzw. der Faschismen zu 'schreiben' und sie miteinander zu vergleichen, machte man sich, ausgestattet mit einigen Elementen marxistischer Faschismustheorien, auf die Suche nach 'faschistischen' Tendenzen in der Vergangenheit und Gegenwart. So wurde, um nur ein Beispiel zu nennen, aus einem, im übrigen sehr differenzierten Aufsatz von Max Horkheimer[15] aus dem Jahre 1940 der Satz: „Wer [...] vom Kapitalismus nicht reden will, sollte auch vom Faschismus schweigen" – herausgegriffen und zu der 'griffigen' Parole vereinfacht: „Kapitalismus führt zum Faschismus!"

Folglich galten kapitalistische Herrschaftsstrukturen und gewaltsame oder undemokratische Herrschaftspraktiken als ausreichend, um ein Land, eine Partei oder eine Person als 'faschistisch' bzw., wie das neue Kunstwort lautete, zumindest als 'faschistoid' zu diffamieren. Dieses Schicksal ereilte dann alle möglichen Regime auf der Welt, sozusagen von A bis Z, von der Militärherrschaft in Argentinien bis zum Mobutu-Regime in Zaire. Dabei störte es diese Faschismus-'Theoretiker' keineswegs, daß es in diesen angeblich 'faschistischen' Staaten überhaupt keine 'faschistischen' Parteien gab. Noch unerträglicher und noch weniger begründet waren die vor allem von Angehörigen der Studentenbewegung in der Bundesrepublik und in anderen westeuropäischen Ländern sowie den USA

---

[13] Dazu mit weiterführenden Literaturhinweisen: Hans-Ulrich Thamer/ Wolfgang Wippermann, Faschistische und neofaschistische Bewegungen, Darmstadt 1977; Wolfgang Wippermann, Europäischer Faschismus im Vergleich (1922–1982), Frankfurt a. M. 1983.

[14] Tasca, Glauben, Gehorchen, Kämpfen (wie Anm. 4), S. 374.

[15] Max Horkheimer, Die Juden und Europa, in: Zeitschrift für Sozialforschung 8, 1939/40, S. 115–137, S. 115.

vorgetragenen Verdächtigungen, wonach selbst demokratisch-par-
lamentarische Staaten wie die Bundesrepublik und die USA oder
deren Repräsentanten 'faschistisch' oder 'faschistoid' seien.[16]
   Der wissenschaftliche Ertrag dieser Faschismus-'Diskussion' war
gering. Politisch war sie gefährlich, weil dadurch die Gefahren des
realen Faschismus verharmlost, bestimmte politische Tendenzen der
Gegenwart dagegen dämonisiert wurden. Letzteres trifft vor allem
auf die Verlautbarungen von terroristischen Gruppierungen zu, die
zum Teil ebenfalls versuchten, ihre verbrecherischen Aktivitäten mit
dem Hinweis auf bestimmte 'faschistische' Praktiken innerhalb der
Bundesrepublik zu legitimieren. Kurz: In Teilen dieser Faschismusdiskussion war der Begriff 'Faschismus' selber nichts anderes als ein
austauschbarer politischer Kampfbegriff.
   Angesichts derartiger Vorkommnisse war es nicht verwunderlich,
daß dieses Inflationierung des Faschismusbegriffs auf eine immer
schärfer werdende Kritik stieß.[17] Einige dieser Kritiker begnügten
sich jedoch nicht mit der Zurückweisung derartiger Versuche, 'Faschismus' als Kampfbegriff zu benutzen, sondern hielten den Begriff generell für ungeeignet, die historische Empirie zu erklären.
Nach ihrer Meinung hat es Faschismus außerhalb Italiens gar nicht
gegeben. Der Nationalsozialismus und andere, als 'faschistisch' bezeichnete, Bewegungen und Regime unterschieden sich grundsätzlich vom italienischen Faschismus. Aus politischen und wissenschaftlichen Gründen solle man den Faschismus- zugunsten des

---

[16] Diese Ansichten wurden in den ersten Auflagen des vorliegenden
Buches viel zu ernst genommen. Dazu und zur Kritik an der Verwendung
eines allgemeinen Faschismusbegriffs dann: Wolfgang Wippermann, The
Post-War German Left and Fascism, in: Journal of Contemporary History
11, 1976, S. 185–220; ders., 'Triumph des Willens' oder kapitalistische Mani-
pulation? Das Ideologieproblem im Faschismus, in: Karl Dietrich Bracher/
Manfred Funke (Hrsg.), Nationalsozialistische Diktatur 1933–1945. Eine
Bilanz 1983, S. 735–759; ders., Faschismustheorien, in: Wolfgang W. Mickel
(Hrsg.), Handlexikon zur Politikwissenschaft, München 1983, S. 141–145;
ders., Faschismus/Faschismustheorien, in: Dieter Nohlen (Hrsg.), Pipers
Wörterbuch zur Politik, Bd. 1–2, München 1985, S. 227–232; ders., Der
Kult der Gewalt im Faschismus, in: Norbert Leser (Hrsg.), Macht und Ge-
walt in der Politik und Literatur des 20. Jahrhunderts, Wien–Köln 1985,
S. 50–71; ders., Faschismus – nur ein Schlagwort? Die Faschismusforschung
zwischen Kritik und kritischer Kritik, in: Tel Aviver Jahrbuch für deutsche
Geschichte 16, 1987, S. 346–366.
[17] Vgl. dazu unten Kap. 3, S. 92 ff.

Totalitarismusbegriffs aufgeben. Wenn solche Aussagen zutreffen, dann war die seit über 60 Jahren betriebene Faschismusforschung und Faschismusdiskussion nur ein einziger, möglicherweise sogar gefährlicher Irrweg, dann war und ist 'Faschismus' wirklich nur ein politischer Kampfbegriff und kein Leitbegriff für eine wissenschaftliche Theorie.

Diese Frage steht im Mittelpunkt der gegenwärtigen Diskussion, die sich schon deshalb weitgehend von der unterscheidet, die vor 15 Jahren, als das vorliegende Buch in der ersten Auflage veröffentlicht wurde, geführt wurde. Eine völlige Neubearbeitung dieses Bandes war daher unumgänglich. Die Gliederung der vorliegenden 5., völlig neu bearbeiteten Auflage orientiert sich an dem bereits skizzierten 'Doppelcharakter' des Faschismusbegriffs. Faschismus war und ist bis heute ein politischer und ein wissenschaftlicher Begriff. Beide Aspekte sind wichtig.

Die zeitgenössischen Analysen des Faschismus, wie sie vor allem von kommunistischen, sozialistischen, liberalen und selbst konservativen 'Antifaschisten' betrieben wurden, haben die Geschichte des Faschismus (und natürlich des Antifaschismus) geprägt und widergespiegelt zugleich.[18] Dieser Aspekt steht im Vordergrund des ersten Kapitels, in dem diese Interpretationen und Theorien des Faschismus als 'Faktoren und Indikatoren' der Politik der Kommunisten, Sozialisten, der sozialistischen und kommunistischen Splittergruppen sowie der Liberalen und Konservativen dargestellt und im jeweiligen parteipolitischen Zusammenhang untersucht werden. Der Schwerpunkt liegt dabei auf der Darstellung der Deutung des 'deutschen Faschismus'. Im Mittelpunkt der allgemeinen Faschismusdiskussion, an der sich selbstverständlich auch ausländische Autoren beteiligten, stand nämlich die Frage, ob und wie der Aufstieg des 'deutschen Faschismus' (bzw. des Nationalsozialismus) zu verhindern sei. Die Auseinandersetzung mit dem italienischen Faschismus trat dabei mehr und mehr in den Hintergrund. Auch nach der 'Machtergreifung' Hitlers konzentrierte sich das

[18] Dazu: Wolfgang Wippermann, Zur Analyse des Faschismus. Die sozialistischen und kommunistischen Faschismustheorien 1921–1945, Frankfurt a. M. 1981. Zum Begriff 'Faktoren und Indikatoren' des historischen Prozesses (und zur Methode der Begriffsgeschichte): Otto Brunner/Werner Conze/Reinhart Koselleck, Einleitung, zu: dies. (Hrsg.), Geschichtliche Grundbegriffe. Historisches Lexikon zur politisch-sozialen Sprache in Deutschland, Bd. 1, Stuttgart 1972, bes. S. XIV–XX.

Interesse auf die Frage, wie dieses 'faschistische' Regime zu bekämpfen sei.[19]

Im zweiten Kapitel werden die Faschismustheorien unter systematischen Perspektiven behandelt. Sie werden nach inhaltlichen Gesichtspunkten gegliedert und diskutiert. Dabei werden die Bezüge zwischen dem Faschismus und den Themenfeldern Kapitalismus, Bonapartismus, Mittelstand, Autoritarismus und Modernismus aufgezeigt. Schließlich folgt eine knappe Skizze der „historisch-phänomenologischen" Faschismustheorie Ernst Noltes.

Im dritten und letzten Kapitel werden die Faschismustheorien in kritischer Perspektive dargestellt, d. h., es werden diejenigen Argumente diskutiert, die gegen und die für die Verwendung eines allgemeinen Faschismusbegriffs sowie von Faschismustheorien sprechen. Darauf sowie auf verschiedene offene Fragen innerhalb der Faschismusforschung konzentriert sich die abschließende Zusammenfassung.

---

[19] Damit soll die Bedeutung italienischer Faschismustheoretiker wie Antonio Gramsci, Palmiro Togliatti, Angelo Tasca, Pietro Nenni, Luigi Salvatorelli, Piero Gobetti, Luigi Sturzo u. a. (zu ihnen siehe unten Kap. 1) in keiner Weise geschmälert werden. Ich stimme auch der Ansicht von Karl Dietrich Bracher, Renzo De Felice, Ernst Nolte, Jens Petersen, Wolfgang Schieder und anderen Historikern zu, wonach die wissenschaftliche Faschismusdiskussion zunächst und vor allem mit der „konkreten Erscheinungsform des italienischen Faschismus" (Bracher) zu beginnen habe. Dennoch ist es m. E. unzweifelhaft, daß zumindest seit Ende der 20er Jahre nicht der italienische, sondern der sog. 'deutsche Faschismus' (und seine Verhinderung und Bekämpfung) im Mittelpunkt der 'klassischen' Faschismusdiskussion steht. Dies gilt vor allem für die Kommunisten und Sozialisten. Vgl. zur italienischen Faschismusdiskussion die in Anm. 9 zitierte Literatur.

1. FASCHISMUSTHEORIEN IN HISTORISCHER PERSPEKTIVE

1.1 *Die kommunistische Faschismusdiskussion*

Schon Ende 1922, wenige Wochen nach Mussolinis 'Marsch auf Rom', haben verschiedene kommunistische Autoren den Begriff Faschismus auf andere nichtitalienische Bewegungen und Regime übertragen. Dies war ganz offensichtlich nicht im Sinne Lenins. Auf dem V. Weltkongreß der Kommunistischen Internationale vom November/Dezember 1922 hat Lenin nämlich die italienischen Faschisten als „schwarze Banden" bezeichnet. Damit meinte er die 'Schwarzen Hundert', die im zaristischen Rußland im Auftrage der Geheimpolizei Pogrome durchgeführt hatten und seit der bolschewistischen Revolution keine Rolle mehr spielten. Lenin wandte sich an die italienischen Kommunisten mit der Mahnung, bei der Bekämpfung derartiger „schwarzer Banden" und generell bei der Vorbereitung und Durchführung der proletarischen Revolution ein „Stück der russischen Erfahrung" in sich aufzunehmen. Insofern könnten die italienischen „Fascisten" den Kommunisten „gute Dienste leisten". Die italienischen Genossen würden daraus lernen, daß sie „noch nicht so gebildet" seien und daß sie sich vielmehr als bisher am russischen Beispiel orientieren sollten.[1]

---

[1] Diskussionsbeitrag Lenins in: Protokoll des Vierten Kongresses der Kommunistischen Internationale. Petrograd/Moskau vom 5. November bis 5. Dezember 1922, Hamburg 1923 (Reprint Mailand 1963), S. 231. In etwas abgeänderter Form (!) abgedruckt in: Lenin, Werke, Bd. 33, Berlin 1962, S. 417. – Zur kommunistischen Faschismusdiskussion: Wolfgang Wippermann, Zur Analyse des Faschismus. Die sozialistischen und kommunistischen Faschismustheorien 1921–1945, Frankfurt a. M. 1981, S. 59–112; Hermann Weber, Hauptfeind Sozialdemokratie. Strategie und Taktik der KPD 1929–1933, Düsseldorf 1982; Siegfried Bahne, 'Sozialfaschismus' in Deutschland. Zur Geschichte eines politischen Begriffs, in: International Review of Social History 10, 1965, S. 211–242; ders., Zur Vorgeschichte der Volksfront. Die kommunistische 'Einheitsfrontpolitik' gegenüber der Sozialdemokratie in den Jahren 1933–1935, in: Zeitschrift für Politik 7, 1960, S. 168–178; ders., Die KPD und das Ende von Weimar, Frankfurt a. M. 1976;

Ganz anders urteilte, wie bereits erwähnt, der damalige Vorsitzende der Kommunistischen Internationale, Grigori Sinowjew. Er sah im Sieg der italienischen „Fascisten" „keine lokale Erscheinung". Es sei vielmehr zu erwarten, daß sich auch „in anderen Ländern dieselben Erscheinungen" wiederholen würden. Man müsse sogar mit einer „Periode mehr oder weniger fascistischer Umwälzungen in ganz Zentral- und Mitteleuropa" rechnen.[2] Auch andere Kommunisten wollten bereits 1922/23 im Faschismus eine äußerst gefährliche „internationale Erscheinung"[3] sehen. Der deutsche Kommunist Jacobsen verwies in diesem Zusammenhang auf den „deutschen Faschismus".[4] Jacobsen und sein Genosse Hans Tittel[5] meinten damit die NSDAP Hitlers. Ein weiterer deutscher Kommunist, Paul Böttcher, vertrat sogar die Ansicht, daß in ganz Deutschland die „Besitzenden" dazu übergehen würden, „faschistische Methoden im politischen Kampf" anzuwenden.[6] Böttcher und andere Kommunisten betonten in diesem Zusammenhang, daß der Faschismus der Bourgeoisie nütze und ihr „Werkzeug" sei.[7] Diese prokapi-

Nicos Poulantzas, Faschismus und Diktatur, München 1973; Gert Schäfer, Die Kommunistische Internationale und der Faschismus, Offenbach 1973. – Die Literatur der DDR zu diesem Thema ist zwar umfangreich, aber ideologisch geprägt und zum Teil einfach fehlerhaft. Vgl. etwa: Elfriede Lewerenz, Die Analyse des Faschismus durch die Kommunistische Internationale. Die Aufdeckung von Wesen und Funktion des Faschismus während der Vorbereitung und Durchführung des VII. Kongresses der Kommunistischen Internationale (1933–1935), Berlin 1975; dies., Zur Bestimmung des imperialistischen Wesens des Faschismus durch die Kommunistische Internationale (1922 bis 1935), in: Dietrich Eichholtz/Kurt Gossweiler (Hrsg.), Faschismusforschung. Positionen, Probleme, Polemik, Berlin 1980, S. 21–48. Auf weitere Verweise und Auseinandersetzungen mit dieser Literatur muß im folgenden verzichtet werden.

[2] Protokoll des Vierten Kongresses, S. 57.

[3] A. Jacobsen, Der Faszismus, in: Die Internationale 5, 1922, S. 301–304, S. 301.

[4] Jacobsen, Der Faszismus, S. 302.

[5] Hans Tittel, Die faschistische Gefahr in Süddeutschland, in: Internationale Pressekorrespondenz (im folgenden: Inprekorr) 2, 1922, S. 1832 f.

[6] Paul Böttcher, Ein neuer Sieg der Kommunistischen Internationale. Zur Spaltung der sozialistischen Partei Italiens, in: Die Internationale 5, 1922, S. 261–267.

[7] Erklärung des IV. Weltkongresses der Komintern zur italienischen Frage, in: Protokoll des Vierten Kongresses, S. 19. Abgedruckt auch in: Inprekorr 2, 1922, S. 1578.

talistische Funktion präge das Wesen des Faschismus und verschaffe ihm eine gewisse Ähnlichkeit mit der Sozialdemokratie, deren Bestreben es ebenfalls sei, die kommunistische Revolution zu verhindern und die Herrschaft der Bourgeoisie zu verteidigen.

Die These, daß Faschismus und Sozialdemokratie weitgehend gleichzusetzen seien, wurde auf dem IV. Weltkongreß der Komintern vor allem vom Führer der italienischen Delegation, Amadeo Bordiga, vertreten. Er erklärte unter Anspielung auf den deutschen Sozialdemokraten Gustav Noske, der 1919 den Spartakus-Aufstand niedergeschlagen hatte, daß der Faschismus Mussolinis die „noskitische Form der Sozialdemokratie unter italienischen Bedingungen" sei.[8] Ähnliche Auffassungen waren von kommunistischer Seite bereits vorher vertreten worden. Schon im Juni/Juli 1921 hatte ein Delegierter des III. Weltkongresses der Komintern behauptet, daß der sozialdemokratisch orientierte Amsterdamer Gewerkschaftsbund „gute Nachbarschaft" mit den Faschisten pflege.[9] Dies beweise, wie ein bulgarischer Delegierter meinte, erneut den „Verrat" der Sozialdemokraten.[10] Auch Arthur Rosenberg, der damals Mitglied der KPD war und später ein wichtiges Werk über die Geschichte der Weimarer Republik schrieb, verwies in einem 1921 veröffentlichten Aufsatz auf den „Verrat der sozialistischen Führung" und die „seltsame Brüderschaft mit den Fascisten".[11]

Doch in der ersten, bis 1924 reichenden, Phase der kommunistischen Faschismusdiskussion begnügte man sich nicht mit dem Hinweis auf die konterrevolutionäre und prokapitalistische Funktion des Faschismus, die er mit der Sozialdemokratie gemein habe.[12] Verschiedene Redner verwiesen auf dem IV. Weltkongreß der Komintern darauf, daß es der italienische Faschismus verstanden habe,

---

[8] Rede Amadeo Bordigas in: Protokoll des Vierten Kongresses, S. 330–335. Ursprünglich sollte Palmiro Togliatti das Referat halten. Vgl. dazu: Renzo De Felice, Die Deutung des Faschismus, Göttingen 1980, S. 156 f. Togliatti wie Antonio Gramsci hatten dem Problem der sozialen Basis des Faschismus mehr Aufmerksamkeit geschenkt. Doch auch für sie war der Faschismus im Grunde nur ein Instrument des Großbürgertums.

[9] Protokoll des III. Kongresses der Kommunistischen Internationale Moskau, 22. Juni–12. Juli 1921, Hamburg 1921, S. 402.

[10] Protokoll des III. Kongresses, S. 293.

[11] Arthur Rosenberg, Italien auf dem Wege zur bürgerlich-rechtssozialistischen Koalition, in: Die Internationale 3, 1921, S. 428–433.

[12] Böttcher, Ein neuer Sieg (wie Anm. 6), S. 263.

„durch soziale Demagogie sich einen Boden in der Masse, in der Bauernschaft, im Kleinbürgertum, sogar in gewissen Teilen der Arbeiterschaft zu verschaffen"[13]. Trotz seiner prokapitalistischen sozialen Funktion verfüge der Faschismus zugleich über eine eigenständige soziale Basis. Dies mache ihn so gefährlich und verwundbar zugleich.

Das spannungsreiche Verhältnis zwischen der prokapitalistischen sozialen Funktion und der kleinbürgerlichen sozialen Basis des Faschismus stand dann im Mittelpunkt der Faschismusdiskussion, die 1923 auf einer Tagung der Erweiterten Exekutive der Kommunistischen Internationale geführt wurde. Das Hauptreferat hielt die langjährige Führerin der deutschen proletarischen Frauenbewegung und Mitgründerin der KPD, Clara Zetkin.[14] In ihrer bemerkenswert differenzierten Rede führte Zetkin aus, daß der Faschismus einerseits von der Bourgeoisie „mit allen ihr zu Gebote stehenden Mitteln des Geldschranks und der politischen Macht" gefördert werde. Andererseits wies sie jedoch klar und eindrücklich darauf hin, daß die „Träger des Faschismus" keine „kleine Kaste, sondern [...] breite soziale Schichten, große Massen, die selbst bis in das Proletariat hinreichen" würden, seien.[15] Zetkin machte zwar auch den „Verrat der Reformisten" dafür verantwortlich, daß es in Italien zu einer „Eroberung der Staatsgewalt durch den Faschismus" gekommen sei, betonte jedoch auch, wie notwendig es sei, den Kampf um die „Seelen der Klein- und Mittelbürger" sowie derjenigen Proletarier, „die dem Faschismus verfallen sind", aufzunehmen. Wenn dies gelänge und wenn man der faschistischen Gewalt die „Gewalt des revolutionären, organisierten, proletarischen Klassenkampfes" entgegensetze, dann sei es, wie Zetkin mit revolutionärem Pathos verkündete, „mit der Klassenherrschaft der Bourgeoisie [...] trotz des Faschismus Matthäi am letzten"[16].

[13] Erklärung des IV. Weltkongresses der Komintern zur italienischen Frage (wie Anm. 7), S. 1011 f.
[14] Rede Zetkins in: Protokoll der Konferenz der Erweiterten Exekutive der Kommunistischen Internationale. Moskau 12.–23. Juni 1923, Hamburg 1923, S. 204–232. – Die Rede ist abgedruckt bei: Ernst Nolte (Hrsg.), Theorien über den Faschismus, Köln–Berlin 1967, S. 88–111. Einige ihrer Hauptthesen hatte Zetkin bereits im März 1923 auf dem Anti-Faschismus-Kongreß in Frankfurt am Main vorgetragen. Vgl. dazu: Inprekorr 3, 1923, S. 418 f.
[15] A. a. O. S. 89.
[16] A. a. O. S. 105 und 111.

In der Diskussion über das Referat Zetkins knüpfte vor allem der Deutschlandexperte der Komintern, Karl Radek, an Zetkins Ausführungen über die Notwendigkeit an, den Kampf um die „Seelen der Kleinbürger" zu führen[17]. Seine Vorschläge gipfelten in der Aufforderung, bestimmte nationalistische Elemente in die kommunistische Propaganda aufzunehmen, ja, sogar mit einigen deutschen Nationalisten eine „Front [...] gegen das ententistische und das deutsche Kapital" herzustellen. Unmittelbares Vorbild sei der „deutsche Faschist" Albert Leo Schlageter. Schlageter war kurz zuvor von der französischen Besatzungsmacht hingerichtet worden, weil er im Ruhrgebiet, das von französischen Truppen besetzt war, verschiedene Sabotageakte begangen hatte. Deshalb wurde er von großen Teilen der deutschen Rechten als Märtyrer der deutschen nationalen Sache verehrt. Radek teilte diese Bewunderung für den, wie er wörtlich sagte, „Märtyrer des deutschen Nationalismus"[18].

Radek erntete mit seiner sog. Schlageter-Rede großen Beifall bei seinen Genossen. Die KPD begann sofort mit einer nationalistischen Propagandakampagne, die nach Radeks Rede „Schlageter-Kurs" benannt wurde. Die KPD bekannte sich nun als „geschworene Gegnerin des Versailler Friedens, der das deutsche Volk beraubt und versklavt" habe,[19] und rief zu einem „nationalen Befreiungskampf" gegen diesen „Versailler Versklavungsfrieden", gegen die „jüdischen Kapitalisten"[20] und gegen die sozialdemokratischen „November-Verbrecher"[21] auf. Wie diese Beispiele zeigen, scheute sich die KPD bei ihrem sogenannten „Schlageter-Kurs" nicht, nationalistische, antisemitische und selbst antisozialistische Propagandafloskeln der Nationalsozialisten zu übernehmen und diese gewissermaßen von rechts zu überholen.

Die Agitation gegen die Sozialdemokratie und die gleichzeitige Bagatellisierung der Gefahren, die von den Nationalsozialisten

---

[17] Rede Radeks in: a.a.O. S.240.

[18] A.a.O. S.244.

[19] Zitat in: Dokumente und Materialien zur Geschichte der deutschen Arbeiterbewegung, Bd. VII, 2. Januar 1922 bis Dezember 1923, Berlin 1966, S.306f.

[20] 'Nieder mit der Regierung der nationalen Schmach und des Volksverrates', in: Die Rote Fahne v. 29.5.1925, zit. nach: Dokumente und Materialien VII, 2 (wie Anm. 19), S.333–336.

[21] In: Dokumente und Materialien VII, 2 (wie Anm. 19), S.398.

drohten, bestimmten bis Ende 1923 vor allem die Faschismusdiskussion der KPD. Als Reichspräsident Friedrich Ebert General von Seeckt mit der vollziehenden Gewalt beauftragte, um die bayerischen Putschbestrebungen niederzuschlagen, wurde die SPD als „Helfershelferin des Faschismus" beschimpft. Gegen die Sozialdemokratie und gegen die, wie es hieß, „faschistische Diktatur des Generals Seeckt" müsse ein „Kampf auf Leben und Tod" geführt werden.[22] Dazu wurden sowohl Kommunisten wie Sozialdemokraten aufgefordert. Jeder, der nicht bereit sei, mit den führenden sozialdemokratischen Politikern Wels, Müller und Ebert, den „bewußten Werkzeugen des Faschismus", zu brechen, sei selber ein „Werkzeug des Faschismus".[23] Hitler und seine Gefolgsleute, deren Putsch im November 1923 scheiterte, glichen dagegen nach Auffassung von führenden Mitgliedern der KPD eher „Narren und Spaßmachern als ernsthaften Politikern der Konterrevolution"[24].

Zu Beginn des Jahres 1924 kam es innerhalb von Komintern und KPD zu einem Richtungsstreit, der mit dem Sieg des linken Flügels endete. Die bisherige 'rechte' Führung der KPD unter Heinrich Brandler und August Thalheimer wurde abgesetzt. Gleichzeitig wurde der sog. Schlageter-Kurs aufgegeben. Dies galt jedoch nicht nur für die erwähnten, zweifellos törichten Anbiederungen an die Politik und Propaganda der deutschen Rechten. Ebenfalls kritisiert und aufgegeben wurden die von Radek, aber auch von Zetkin geforderten Bestrebungen, das Problem der sozialen Basis des Faschismus ernst zu nehmen und, wie sich Zetkin ausgedrückt hatte, um die „Seelen der Kleinbürger zu ringen".

Im Juni/Juli 1924 kritisierte der deutsche Delegierte des V. Weltkongresses der Komintern, Hermann Remmele (unter dem Pseudonym Freymuth), die Schlageter-Rede Radeks, weil in dieser die „Möglichkeit eines Bündnisses [...] zwischen Kommunisten und Faschisten in Aussicht gestellt" worden sei.[25] Zugleich wandte er sich mit folgender Begründung gegen die Mahnungen Radeks, Zetkins und anderer kommunistischer Faschismustheoretiker, die kleinbürgerliche, soziale Basis des Faschismus zu berücksichtigen.

---

[22] A.a.O. S. 472.

[23] A.a.O. S. 474.

[24] G. Sinowjew, Der deutsche Koltschak, in: Inprekorr 3, 1923, S. 1540f.

[25] Rede Hermann Remmeles (unter dem Pseudonym Freymuth) in: Protokoll des V. Kongresses der Kommunistischen Internationale, 17.6.–8.7.1924, Hamburg 1924, S. 754ff.

Der Faschismus sei, so Remmele, nichts anderes als das „Instrument der Bourgeoisie gegen das revolutionäre Proletariat". Die „bürgerlichen Mittelschichten" bildeten nur das „Material, aus dem das Instrument gefügt" sei. Wichtig sei daher nicht, „aus welchem Material ein Instrument gefügt ist, sondern welchen Zwecken es dienen soll"[26].

Remmeles rein instrumentalistische Faschismusdefinition setzte sich durch. In der Resolution des V. Weltkongresses wurde der Faschismus als bloßes „Kampfinstrument der Großbourgeoisie gegen das Proletariat" bezeichnet. Eher beiläufig wurde darauf verwiesen, daß der Faschismus „seiner sozialen Wurzel nach [...] eine kleinbürgerliche Bewegung" sei.[27] Im gleichen Zusammenhang und mit der gleichen instrumentalistischen Begründung wurde ferner die bereits erwähnte weitgehende Identifikation von Faschismus und Sozialdemokratie bekräftigt. Beide seien „Kampfesmittel der großkapitalistischen Diktatur". Daher könne die Sozialdemokratie „im Kampfe gegen den Faschismus nie Verbündeter des revolutionären Proletariats" sein.[28] Kommunisten dürften allenfalls mit einfachen Mitgliedern der sozialdemokratischen Parteien, keinesfalls mit Führern und Funktionären zusammenarbeiten. Legitim sei nur die Bildung einer „Einheitsfront von unten und nicht von oben".

Damit war die sogenannte Sozialfaschismusthese sanktioniert. Sie besagt, daß, wie es in der Resolution des V. Weltkongresses der Komintern heißt, „bei fortschreitendem Verfall der bürgerlichen Gesellschaft [...] alle bürgerlichen Parteien, insbesondere die Sozialdemokratie einen mehr oder weniger faschistischen Charakter" annehmen würden. „Der Faschismus und die Sozialdemokratie" wurden als die „beiden Seiten ein und desselben Werkzeuges der großkapitalistischen Diktatur" angesehen.[29] Stalin schloß sich dieser Auffassung ausdrücklich an. In einem Artikel vom 20. September 1924 behauptete er, daß die Sozialdemokratie „objektiv der gemäßigte Flügel des Faschismus" sei. Sozialdemokratische und faschistische Organisationen ergänzten sich wie „Zwillingsbrüder".[30]

---

[26] A. a. O. S. 766.
[27] Thesen und Resolutionen des V. Weltkongresses der Kommunistischen Internationale, Hamburg 1924, S. 121.
[28] Remmele in: Protokoll des V. Kongresses (wie Anm. 25), S. 767 f.
[29] Thesen und Resolutionen des V. Weltkongresses (wie Anm. 27), S. 121.
[30] J. W. Stalin, Zur internationalen Lage (20. 9. 1924), in: Stalin, Werke, Bd. 6, Berlin 1952, S. 252 f.

Von nun an wagte es kaum ein Kommunist, diese Sozialfaschis-musthese zu kritisieren. Zu den wenigen Ausnahmen gehörte der italienische Kommunist Palmiro Togliatti, der in einem 1928 veröf-fentlichten Aufsatz die Richtigkeit der Sozialfaschismusthese be-zweifelte und sich zugleich gegen die inflationäre Verwendung des Faschismusbegriffs wandte.[31] Togliatti setzte sich jedoch mit seiner differenzierenden Sichtweise nicht durch. Immer mehr und immer neue Parteien und Regime wurden von kommunistischen Autoren als „faschistisch" gebrandmarkt. Ein Beispiel ist das Piłsudski-Re-gime in Polen. Der ehemalige Sozialist Jozef Piłsudski war 1926 zur Macht gekommen und hatte die oppositionellen Parteien Schritt für Schritt verboten. Die von ihm errichtete Diktatur wurde von der Komintern als 'faschistisch' eingestuft. Zur Begründung verwies man einerseits auf Piłsudskis antisowjetische Politik, andererseits auf die passive Haltung der polnischen Sozialisten, die seinen Staats-streich nicht verhindert hätten. Diese Politik der „sozialfaschisti-schen" Sozialisten wurde zugleich als Beweis dafür gewertet, daß das Piłsudski-Regime einen „faschistischen" Charakter habe.[32]

Als Hauptrepräsentantin des „Sozialfaschismus" galt jedoch die SPD. Sie wurde bereits im März 1927 vom 11. Parteitag der KPD zum „Hauptfeind" erklärt.[33] Begründet wurde dies mit dem sozial-demokratischen Konzept der „Wirtschaftsdemokratie" sowie mit dem Hinweis auf die Bereitschaft der SPD, die Weimarer Republik zu verteidigen. All dies beweise, wie der Führer der KPD, Ernst

---

[31] Palmiro Togliatti, Zur Frage des Faschismus, in: Die Kommunistische Internationale 9, 1928, S. 1677–1692; auch in: Palmiro Togliatti, Reden und Schriften. Eine Auswahl. Aus dem Italienischen übersetzt von Christel Schenker; hrsg. von Claudio Pozzoli, Frankfurt a. M. 1967, S. 22–42. Togliatti unterschied sich in folgenden Punkten von der allgemeinen Fa-schismusauffassung innerhalb der Komintern: 1. in seiner Warnung vor einer unreflektierten Übertragung des Faschismusbegriffs auf andere Länder; 2. in seiner Ablehnung der Sozialfaschismusthese und 3. in seiner Betonung der autonomen Charakterzüge des (italienischen) Faschismus. Vgl. dazu und zu ähnlichen Auffassungen von Antonio Gramsci: De Felice, Deutungen, S. 190 ff.

[32] Ernst Thälmann, Über die Taktik der Kommunistischen Partei Polens, in: Die Rote Fahne v. 3. 6. 1926; auch in: Thälmann, Reden und Aufsätze, Bd. 1, 1919–1928, Frankfurt a. M. 1972, S. 370–374.

[33] XI. Parteitag der KPD vom 2. bis 7. 3. 1927 in Essen. Thesen zur politi-schen Lage und zu den Aufgaben der KPD, in: Dokumente und Materia-lien, Bd. VIII, S. 445–479, bes. S. 447 f.

Thälmann, 1927 meinte, daß die Bourgeoisie „international mit zwei Flügeln: der Sozialdemokratie und dem Faschismus" gegen den Kommunismus und gegen die Sowjetunion vorgehen wolle.[34]
Auf dem VI. Weltkongreß der Komintern (17.7.–1.9.1928) kam es zu einer weiteren Verschärfung der Sozialfaschismusthese.[35] Die allgemeine „Faschisierung" der Sozialdemokratie und das Erstarken des „Nationalfaschismus" Hitlerscher oder Mussolinischer Prägung wurden jedoch gleichzeitig als Beweis für die These gewertet, daß es zu einer „allgemeinen Krise des Kapitalismus" gekommen sei, die unweigerlich zum Ausbruch der Revolution führen werde.[36] Doch zuvor müsse vor allem der Einfluß der „sozialfaschistischen" Sozialdemokratie gebrochen werden. Folglich richtete vor allem die KPD ihren „Hauptstoß" gegen die „Sozialfaschisten". Sie und nicht etwa die Nationalsozialisten galten als die „gefährlichsten Feinde der Arbeiterklasse".[37]
Bestärkt wurden die deutschen Kommunisten in ihrem ultralinken Kurs durch den sog. 'Berliner Blutmai'. Am 1. Mai 1929 war in Berlin eine nicht genehmigte Maidemonstration kommunistischer Arbeiter auf Befehl des sozialdemokratischen Polizeipräsidenten von Berlin, Karl Zörgiebel, zerschlagen worden, wobei es mehrere Tote gab. Dieses Ereignis nahm der deutsche Kommunist Paul Merker zum Anlaß, um zur Bekämpfung auch der „unteren sozialfaschistischen Funktionäre" aufzurufen, weil auch sie „Sozialfaschisten" und „kleine Zörgiebel" seien. Der schon erwähnte Hermann Remmele hielt jedoch Merkers Devise „Hau auf den Sozialfaschismus, dann triffst Du auch den Nationalfaschismus" für ein

---

[34] Ernst Thälmann, Internationale Rote Gegenoffensive. Aus der Rede auf der Internationalen Konferenz gegen imperialistischen Krieg und Faschismus, Berlin 6.6.1927, in: Die Rote Fahne v. 8.6.1927; abgedruckt in: Thälmann, Reden und Aufsätze, Bd. 1 (wie Anm. 32), S. 516–522, S. 520.

[35] Protokoll. VI. Weltkongreß der Kommunistischen Internationale, Moskau 17.7.–1.9.1928, Bd. 1–4, Hamburg–Berlin 1928–29 (Reprint Erlangen 1972).

[36] Vgl. vor allem die Reden Bucharins (in: a.a.O. Bd. 1, S. 35 ff. und Thälmanns (in: a.a.O. Bd. 1, S. 303 ff. und die ›Thesen, Resolutionen, Programme, Statuten‹ (in: a.a.O. Bd. 4, S. 13 ff.).

[37] Waffen für den Klassenkampf. Beschlüsse des XII. Parteitages der KPD, Berlin o.J. (1929); in: Dokumente und Materialien, Bd. VIII, S. 810–840. Vgl. auch: Hermann Remmele, Die Lehren des Berliner Blutmai und das drohende Verbot der Kommunistischen Partei Deutschlands, in: Die Internationale 12, 1929, S. 381–400.

„zu einfaches Rezept". Er warnte davor, „vor lauter Sozialfaschis-
mus" die Gefahren, die vom „Nationalfaschismus", d.h. von der
NSDAP ausgingen, „nicht sehen" zu wollen.[38]
Tatsächlich war spätestens seit den Reichstagswahlen vom 14. September 1930, bei denen die NSDAP 107 statt der bisherigen 12 Man-
date gewonnen hatte, der Aufstieg des 'Nationalfaschismus' nicht
mehr zu übersehen. Gleichwohl feierte der Parteivorsitzende der
KPD, Thälmann, den „überwältigenden Sieg der KPD", die ihre
Mandatszahl von 55 auf 77 gesteigert hatte.[39] Für eine Revision der
Sozialfaschismusthese sah man keinen Anlaß. Da die SPD das Kabinett Brüning tolerierte, wurde sie als „treue Stütze der faschistischen Diktatur" Brüning bezeichnet.[40] Im Juli 1931 hielt es die KPD
sogar für richtig, gemeinsam mit der NSDAP ein Volksbegehren für
die Ablösung der sozialdemokratisch geführten Regierung in
Preußen einzuleiten, das dann allerdings scheiterte.

Diese so realitätsferne und verhängnisvolle Politik der KPD
wurde von der Komintern ausdrücklich gebilligt. Auch die Leitung
der Komintern rief wiederholt dazu auf, den „Hauptstoß" gegen die
SPD und nicht etwa gegen die NSDAP zu führen, und erklärte, daß
der Faschismus nicht beginne, „wenn Hitler kommt". Er habe
„längst begonnen", da das Kabinett Brüning bereits eine „faschistische" Diktatur sei.[41] Brünings Sturz brachte die kommunistischen

---

[38] Paul Merker, Das nächste Kettenglied, in: Die Internationale 13, 1930,
S. 259–266; ders., Der Kampf gegen den Faschismus, in: Die Internationale
13, 1930, S. 259–266. Dagegen dann: Hermann Remmele, Schritthalten!
Warum muß der Kampf gegen den Faschismus gegen zwei Fronten gerichtet
werden? In: Die Internationale 13, 1930, S. 135–158, bes. S. 152 und 255.

[39] Ernst Thälmann, Der Weg zur Freiheit, in: Thälmann, Reden und
Aufsätze 1930–1933, Bd. 1, Köln 1975, S. 15–23; Ernst Thälmann, Die KPD
nach den Reichstagswahlen, in: a. a. O. S. 24–35, bes. S. 24.

[40] Ernst Thälmann, Wir führen das Volk zum Sieg über die faschistische
Diktatur! In: Thälmann, Reden und Aufsätze 1930–1933, S. 40–53, bes. S. 43
u. 46.

[41] Ernst Thälmann, Schmiedet die rote Einheitsfront! In: Die Rote
Fahne v. 29. 11. 1931, auch in: Thälmann, Reden und Aufsätze 1930–1933,
S. 324–329, S. 327. Zu seiner Forderung, den „Hauptstoß" gegen die „sozialfaschistische" SPD zu führen, vgl.: Ernst Thälmann, Bericht auf dem
11. Plenum des EKKI, in: Thälmann, Reden und Aufsätze 1930–1933,
S. 157–204, S. 172. Ähnliche Äußerungen: Ernst Thälmann, Einige Fehler in
unserer theoretischen und praktischen Arbeit und der Weg zu ihrer Überwindung, in: Die Internationale 14, 1931, S. 481–509.

Faschismustheoretiker dann in eine gewisse Verlegenheit. Thälmann wußte jedoch einen Ausweg. Heinrich Brüning habe nur eine „Politik der Durchführung der faschistischen" Diktatur betrieben. Jetzt, mit der Kanzlerschaft Franz von Papens, befinde man sich im „Stadium der unmittelbaren Aufrichtung der faschistischen Diktatur".[42] Dennoch stehe, wie auf dem XII. Plenum des Exekutivkomitees der Komintern im September/Oktober 1932 konstatiert wurde, der „Sieg der proletarischen Revolution in Deutschland" unmittelbar bevor.[43]

Selbst nach der Machtergreifung Hitlers sahen die kommunistischen Faschismustheoretiker keinerlei Veranlassung, ihre bisherige Einschätzung zu ändern. Das Exekutivkomitee der Komintern stellte noch am 1. Mai 1933 fest, daß die SPD „offen auf die Seite des Faschismus übergegangen" sei.[44] Die KPD hat noch am 14. Juli 1933 dazu aufgerufen, den „Hauptstoß" gegen die inzwischen verbotene SPD zu führen.[45] Geradezu gespenstisch realitätsfern mutet die Faschismusdiskussion an, die im Dezember 1933 auf dem XIII. Plenum des Exekutivkomitees der Komintern geführt wurde.[46]

Zunächst einmal wurde die bisherige rein instrumentalistische Definition des Faschismus bekräftigt. Der „Faschismus an der Macht" sei die „offene terroristische Diktatur der am meisten reaktionären, chauvinistischen und imperialistischen Elemente des Finanzkapitals".[47] Ferner hielt man an der völlig falschen Einschätzung fest, daß man sich trotz des Sieges des 'Faschismus' in Deutschland in einer revolutionären Situation befinde. Der führende Funktionär der Komintern, Dimitrij Manuilskij, erklärte, daß sich die „revolutionäre Krise" gerade wegen des Sieges des Faschismus in Deutschland zur „revolutionären Krise des gesamten kapitalistischen Weltsystems auzuwachsen" beginne.[48] Die „Abwanderung

[42] Ernst Thälmann, Zu unserer Strategie und Taktik im Kampf gegen den Faschismus, in: Die Internationale 15, 1932, S. 261–292, S. 273.

[43] Das XII. Plenum des EKKI und die KPD, in: Die Internationale 15, 1932, S. 372–390.

[44] Siehe dazu die Dokumente bei: Hermann Weber (Hrsg.), Der deutsche Kommunismus, Köln–Berlin 1963, S. 339 ff.

[45] Ebenda.

[46] Protokoll des XIII. Plenums des EKKI, Dezember 1933, Moskau–Leningrad 1934, S. 277.

[47] Protokoll des XIII. Plenums, S. 277.

[48] Dimitrij Manuilskij, Revolutionäre Krise, Faschismus und Krieg

der Massen vom Faschismus" sei unvermeidlich. Nur die Sozialdemokratie, die auch in Deutschland nach wie vor die „soziale Hauptstütze" der Bourgeoisie sei, stünde dem siegreichen Vormarsch der
Kommunisten noch im Wege. Der aus Finnland stammende Funktionär der Komintern, Otto Kuusinen, hielt es sogar für notwendig,
Stalins Zwillingsbrüder-Theorie zu bekräftigen. Nach wie vor
würden nämlich die Sozialdemokraten die „Faschisierung der bürgerlichen Diktatur" vorantreiben. Nach wie vor sei der „Sozialfaschismus [...] eine außerordentlich große Kraft im Kampfe gegen
die antifaschistische Einheitsfront, gegen die kommunistischen Parteien und die Sowjetunion"[49]. Doch, so erklärte er siegesgewiß, der
faschistische Terror entfache eine solche „Empörung sogar bei der
Mehrheit der Arbeiter, die bisher der Sozialdemokratie nachliefen",
daß von einer „Revolutionierung der Massen" in Deutschland ge-
sprochen werden könne. Diese Ansicht wurde vom Leiter der Delegation der KPD, Wilhelm Pieck, ausdrücklich bestätigt. Nach
Piecks Ansicht schaffe die „kommunistische Avantgarde des deutschen Proletariats" die „Voraussetzungen für den Sturz des Faschismus und für die Errichtung der Diktatur des Proletariats"[50].
Ein Kommentar zu diesen geradezu grotesken Fehleinschät-
zungen der tatsächlichen Lage im nationalsozialistischen Deutschland erübrigt sich. Erst 1934 zeichneten sich Bestrebungen ab,
diesen so verhängnisvollen Dogmatismus zu überwinden. Die In-
itiative dazu ging jedoch nicht von den Führungskadern der Komintern und der einzelnen kommunistischen Parteien aus. Es war die
Basis der französischen kommunistischen und sozialistischen
Partei, die im Februar 1934 die Bildung einer antifaschistischen
Aktionseinheit zwischen den beiden auch hier verfeindeten Bruder-
parteien erzwang. Im Juni 1934 war es dann der nach seinem bravou-
rösen Auftritt während des Reichstagsbrandprozesses freigespro-
chene und in die Sowjetunion emigrierte Georgi Dimitroff, der in
einem Brief an die Komintern-Führung die scheinbar banale Frage

---

(= Referat auf dem XIII. Plenum des EKKI), Moskau–Leningrad 1934, bes.
S. 19 ff.
    [49] Otto Kuusinen, Faschismus, Kriegsgefahr und die nächsten Aufgaben
der Kommunistischen Partei. Referat auf dem XIII. Plenum des EKKI,
Dezember 1933, Moskau–Leningrad 1934, S. 41 ff.
    [50] Wilhelm Pieck, Bericht der Delegation der KPD an das XIII. Plenum
des EKKI, in: Der Faschismus in Deutschland, Moskau–Leningrad 1934,
S. 89–167.

stellte, ob die Sozialdemokratie ständig und unter allen Umständen die „soziale Hauptstütze der Bourgeoisie" sei.[51] Gleichzeitig kritisierte er die kommunistische Taktik der „Einheitsfront nur von unten", die bisher, wie er freimütig einräumte, „ausschließlich als Manöver zur Entlarvung der Sozialdemokratie" angewandt worden sei. Notwendig sei es jetzt, die „wirkliche Einheit der Arbeiter im Kampf gegen den Faschismus herbeizuführen". Dies sei ohne eine Aufgabe der Sozialfaschismusthese nicht möglich.

Dimitroff konnte sich jedoch mit dieser ebenso richtigen wie notwendigen Kritik zunächst nicht durchsetzen. Noch in den 1935 veröffentlichten Materialien ›Die Kommunistische Internationale vor dem VII. Weltkongreß‹ wurde die „Richtigkeit der Charakterisierung der sozialdemokratischen Politik als eine sozialfaschistische" ausdrücklich bestätigt.[52] Gefordert wurde jedoch immerhin, die „Einheitsfront" nicht als „Manöver", sondern als „ein Mittel der Organisierung des gemeinsamen Kampfes gegen den gemeinsamen Klassenfeind zur Verteidigung der Interessen des Proletariats" zu propagieren. Ausdrücklich kritisiert wurden die Kampagnen gegen die „kleinen Zörgiebel", d. h. gegen die einfachen Mitglieder der SPD, und die Taktik des individuellen Terrors, wie sie zwischenzeitlich die deutschen Kommunisten Hermann Remmele und Heinz Neumann unter dem Motto: „Schlagt die Faschisten, wo ihr sie trefft!" – propagiert hatten.[53]

Im Sommer 1935 kam es dann endlich auf dem VII. Weltkongreß zu einer Revision des bisherigen Kurses. Die Neuorientierung gab der inzwischen zum Vorsitzenden der Komintern ernannte Dimitroff bekannt. In seiner Rede über die „Offensive des Faschismus und die Aufgaben der Kommunistischen Internationale im Kampfe für die Einheit der Arbeiterklasse gegen Faschismus und Kriegsgefahr" revidierte er sowohl die Sozialfaschismusthese wie die Einschätzung, daß man sich trotz des Sieges des Faschismus in Deutschland in einer revolutionären Situation befinde.[54] Allerdings hielt auch

[51] Abgedruckt unter der Überschrift ›Ein interessanter Brief Georgi Dimitroffs zur Vorbereitung des VII. Weltkongresses der Kommunistischen Internationale‹, in: Beiträge zur Geschichte der Arbeiterbewegung 5, 1963, S. 282–284.

[52] Die Kommunistische Internationale vor dem VII. Weltkongreß. Materialien, Moskau–Leningrad 1935, S. 45.

[53] A. a. O. S. 46, 63 f. u. 117.

[54] Georgi Dimitroff, Arbeiterklasse gegen Faschismus. Bericht, erstattet

Dimitroff an der erwähnten instrumentalistischen Definition des Faschismus fest, die der bisherigen Taktik zugrunde gelegen hatte und die auf dem XIII. Plenum des Exekutivkomitees formuliert worden war. Obwohl Dimitroff in der Abschlußdiskussion darauf hinwies, daß die „Entwicklung des Faschismus und die faschistische Diktatur selbst [...] in den verschiedenen Ländern verschiedene Formen" annehmen könne,[55] wurden auf dem Kongreß selber sehr unterschiedliche politische Erscheinungen undifferenziert als 'faschistisch' klassifiziert. Dies galt für die damaligen Diktaturen in Polen, Bulgarien, Jugoslawien und Österreich sowie für die sogenannte „Blauhemdenbewegung" Tschiang Kai-Scheks in China und die „Braunhemdenbewegung der Revisionisten in Palästina".[56] Damit war der revisionistische Flügel des Zionismus gemeint, der ebenfalls als 'faschistisch' eingestuft wurde.

Diese Beispiele zeigen, daß der Faschismusbegriff nach wie vor ebenso undifferenziert wie inflationär verwandt wurde. Dafür war vor allem die Fixierung auf die Frage nach der sozialen Funktion des Faschismus verantwortlich. Das Problem der sozialen Basis des Faschismus, d. h. auf welche sozialen Schichten er eine besondere Anziehungskraft ausübte, wurde auch auf dem VII. Weltkongreß kaum diskutiert. Gleichwohl schlugen verschiedene Redner, angefangen mit Dimitroff, vor, die „Kluft zwischen den faschistischen Spitzen und der Masse der enttäuschten, einfachen Anhänger des Faschismus unter den werktätigen Schichten" auszunützen.[57] Ohne näher die Frage zu diskutieren, aus welchen Motiven sich diese „werktätigen Schichten" dem Faschismus angeschlossen hatten und

am 2. August 1935 zum 2. Punkt der Tagesordnung des Kongresses: Die Offensive des Faschismus und die Aufgaben der Kommunistischen Internationale im Kampfe für die Einheit der Arbeiterklasse gegen den Faschismus; separat gedruckt: Moskau–Leningrad 1935, und in: Protokoll des VII. Weltkongresses der Kommunistischen Internationale (ungekürzte Ausgabe), Bd. 1–2, Reprint Erlangen 1974.

[55] Für die Einheit der Arbeiterklasse gegen den Faschismus. Schlußwort des Genossen Dimitroff zur Diskussion zu seinem Bericht, gehalten am 13. August 1935, in: Protokoll des VII. Weltkongresses, Bd. 1, S. 722–747, bes. S. 643 f.

[56] Siehe besonders die Rede Palme Dutts, in: Protokoll des VII. Weltkongresses, Bd. 1, S. 460 ff.

[57] Dimitroff, Arbeiterklasse gegen Faschismus ..., Moskau–Leningrad 1935, S. 54 ff.

warum sie gegebenenfalls vom Faschismus „enttäuscht" waren, schlug man zwei Wege vor, um Anhänger des Faschismus für die kommunistische Sache zu gewinnen. Zum einen sollten gewisse „nationale Formen des proletarischen Klassenkampfes" angewandt werden. Was damit gemeint war, wurde jedoch ebensowenig gesagt, wie diskutiert wurde, ob man mit dieser Neuauflage des Schlageter-Kurses nicht die Wirkungsweise der faschistischen Propaganda verstärke. Zum anderen wurde ernsthaft vorgeschlagen, daß Kommunisten in die faschistischen Massenorganisationen, bis hin zur SA und SS, eintreten sollten, um so nach der Taktik des 'Trojanischen Pferdes' den Faschismus von innen her zu bekämpfen. Dies zeugt von einer bemerkenswerten Unterschätzung des totalitären Charakters des NS-Staates.

Sachgerecht, aber – sieht man von Frankreich und Spanien ab – wenig erfolgreich war dagegen der Beschluß des VII. Weltkongresses, nicht nur „Einheitsfront"-Bündnisse mit Sozialdemokraten und Sozialisten abzuschließen, sondern darüber hinaus auch bürgerliche und christliche Gegner des Faschismus für eine „antifaschistische Volksfront" zu gewinnen. Die Bildung einer derartigen „antifaschistischen Volksfront" machte Dimitroff freilich von verschiedenen Bedingungen abhängig. Sog. Renegaten wie August Thalheimer und Leo Trotzki sollten auf keinen Fall in eine derartige Volksfront aufgenommen werden.

Wenige Wochen nach der Beendigung des VII. Weltkongresses führte die Exil-KPD in der Nähe Moskaus einen Parteitag durch, der den Tarnnamen 'Brüsseler Konferenz' erhielt.[58] In seinem Eröffnungsreferat kritisierte Wilhelm Pieck verschiedene Fehler seiner Partei. Im einzelnen nannte er das „starre Festhalten an der Kennzeichnung der Sozialdemokratie als sozialer Hauptstütze der Bourgeoisie", die Kampagne gegen die „kleinen Zörgiebels", die Beteiligung der KPD am Volksentscheid für die Absetzung der sozialdemokratisch geführten Regierung in Preußen 1931 und die Tatsache, daß die SPD noch zu einem Zeitpunkt attackiert worden sei, als man den „Hauptangriff" gegen die faschistische Bewegung hätte richten müssen.[59] Zusammenfassend erklärte er: „Da wir

---

[58] Die Brüsseler Konferenz der KPD (3.–15. Oktober 1935); hrsg. u. eingel. von Klaus Mammach, Berlin 1975.

[59] Wilhelm Pieck, Erfahrungen und Lehren der deutschen Parteiarbeit im Zusammenhang mit den Beschlüssen des VII. Weltkongresses der Kommunistischen Internationale, in: Die Brüsseler Konferenz, S. 176–267.

selbst die faschistische Gefahr unterschätzten und sie der Arbeiterschaft nicht genügend signalisierten, im Gegenteil nach wie vor unseren Hauptstoß gegen die Sozialdemokratie und gegen die bürgerliche Demokratie richteten, so konnte es nicht ausbleiben, daß wir nicht vermochten, die Arbeiterklasse für den Kampf gegen den Faschismus zu mobilisieren."[60]

Trotz dieser bemerkenswert offenen Selbstkritik wies Pieck jedoch der SPD die Hauptschuld für den Sieg des Faschismus in Deutschland zu. Gleichwohl forderte er die Sozialdemokraten auf, sich zusammen mit den Kommunisten am antifaschistischen Kampf zu beteiligen. Dieser sollte zur „Aufrichtung der proletarischen Diktatur und zur Schaffung eines freien, sozialistischen Sowjetdeutschlands [...] führen."[61] Dies entsprach jedoch nicht den Zielen der deutschen Sozialdemokratie. Auf Ablehnung stieß bei den Repräsentanten der Sozialdemokratie, die nach den Worten Wilhelm Florins „nicht mehr die soziale Hauptstütze der Bourgeoisie" sei,[62] vermutlich auch die nach wie vor positive Einschätzung des Berliner Verkehrsarbeiterstreiks, den Kommunisten und Nationalsozialisten im November 1932 gegen die, wie es hieß, „streikbrecherischen Proklamationen der Sozialdemokratie und der Gewerkschaften" organisiert hätten.[63]

Insofern ist es nicht verwunderlich, daß die Vertreter der SPD auf einem Gespräch mit Repräsentanten der KPD, das am 23. November 1935 in Prag stattfand, die „Ernsthaftigkeit" der neuen kommunistischen „Überzeugung von der Bedeutung der Demokratie" bezweifelten und weitere Kontakte mit den Kommunisten ablehnten.[64] Auf der sog. Berner Konferenz der KPD, die am 20. Januar und 1. Februar 1939 in der Nähe von Paris stattfand, hat Wilhelm

---

[60] A. a. O. S. 78 u. 95.

[61] A. a. O. S. 175.

[62] Wilhelm Florin, Die konkrete Anwendung der Beschlüsse des VII. Weltkongresses der Kommunistischen Internationale, in: Die Brüsseler Konferenz, S. 176–267, S. 181 u. 196.

[63] Siehe dazu vor allem das Referat von: Walter Ulbricht, Die Arbeit in der Deutschen Arbeitsfront und der Wiederaufbau der freien Gewerkschaften, in: Die Brüsseler Konferenz, S. 268–338.

[64] Protokoll dieses ersten und einzigen Gespräches zwischen Vertretern des Parteivorstandes der SPD und der KPD zur Zeit des Dritten Reiches abgedruckt in: Erich Matthias (Hrsg.), Mit dem Gesicht nach Deutschland. Eine Dokumentation über die sozialdemokratische Emigration, Düsseldorf 1968, S. 246.

Pieck daher einräumen müssen, daß es „mit der Schaffung der Volksfront" gegenwärtig sehr schlecht bestellt sei.[65] Pieck gab ferner zu, daß die vier Jahre zuvor beschlossene Taktik des 'Trojanischen Pferdes' so gut wie gar nicht verwirklicht worden sei. Anders als auf der Brüsseler wurden auf der Berner Konferenz die Erfolge des kommunistischen Widerstandes sehr pessimistisch beurteilt. Palmiro Togliatti hatte dies vorhergesehen. Er hatte als Gastredner auf der Brüsseler Konferenz seinen deutschen Genossen vorgeworfen, „daß die Führung der Partei heute etwas entfernt ist vom Land und von der wirklichen Bewegung der werktätigen Massen", und sie dazu aufgefordert, eine „gründliche Analyse der Kräfte der faschistischen Partei, ihrer Zusammensetzung, ihrer Struktur, ihrer Kader und der Veränderungen, die auf allen diesen Gebieten nach der Machtübernahme vor sich gingen," vorzunehmen.[66]

Togliatti selber hat derartiges 1935 in seinen Vorträgen vor der italienischen Sektion der Lenin-Schule in Moskau getan. In diesen ›Lektionen‹, die jedoch erst 1970 veröffentlicht wurden, hat Togliatti als einer der ganz wenigen Kommunisten zugegeben, daß es gerade in Italien zu einer Konsolidierung der faschistischen Diktatur gekommen sei, da sich die materielle Lage auch der Arbeiter wesentlich gebessert habe.[67] Daher warnte er seine Genossen vor einem allzu großen Optimismus. Die faschistischen Diktaturen seien stabiler als allgemein angenommen werde. Dennoch war auch Togliatti nicht bereit, dem Faschismus eine selbständige Stellung zuzuerkennen.[68] Er hielt an der instrumentalistischen Definition des XIII. Plenums des Exekutivkomitees der Komintern ausdrücklich fest und lehnte bonapartismustheoretische Deutungen, wie sie von verschiedenen Sozialisten vertreten wurden, ausdrücklich ab.

Dennoch unterscheiden sich Togliattis ›Lektionen über den Faschismus‹ in ihrer Differenziertheit sehr weitgehend von den Äußerungen zum Faschismusproblem, die nach Ausbruch des Zweiten Weltkrieges von deutschen Kommunisten gemacht worden sind. Hier hielt man nicht nur unbeirrt an der instrumentalistischen Definition des Faschismus fest, sondern ging sogar dazu über, die So-

---

[65] Die Berner Konferenz der KPD (30. Januar–1. Februar 1939); hrsg. u. eingel. von Klaus Mammach, Berlin 1974, S. 61–91 (Rede Piecks).

[66] Palmiro Togliatti, in: Die Brüsseler Konferenz, S. 515.

[67] Palmiro Togliatti, Lektionen über den Faschismus, Frankfurt a. M. 1973.

[68] Vgl. dazu unten Kap. 2.1.

zialdemokraten in ähnlich scharfer Form zu beschimpfen, wie man es vor dem VII. Weltkongreß getan hatte. Sozialdemokraten wurden vor allem nach dem Abschluß des Hitler-Stalin-Paktes als „Kaisersozialisten", „hündische Speichellecker der deutschen Bourgeoisie", „Instrumente der Konterrevolution" etc. bezeichnet und attackiert,[69] weil sie die „Kriegsvorbereitungen Hitlers" unterstützt hätten. Daher wurde ihnen von kommunistischer Seite aus angedroht, daß „alle Antifaschisten in Deutschland" nach dem Sieg über Hitler mit diesen „Noskes kurzen Prozeß machen" würden.[70] Die so angegriffenen Sozialdemokraten haben jedoch diese erneuten Beschimpfungen kaum noch zur Kenntnis genommen. Sie fühlten sich ohnehin durch die stalinistischen Säuberungen, die Aktionen der sowjetischen Geheimpolizei gegen Mitglieder der linkssozialistischen POUM (Partido Obrero de Unificación Marxista) während des Spanischen Bürgerkrieges und vor allem durch den Hitler-Stalin-Pakt in ihrem Mißtrauen gegenüber den Kommunisten bestärkt. Daher wird man bei aller Hochschätzung für den opferreichen kommunistischen Widerstand sagen können, daß die kommunistische Faschismusdiskussion nicht nur unter wissenschaftlichen Gesichtspunkten zu kritisieren ist, sondern darüber hinaus Faktor und Indikator des fehlerhaften und gescheiterten kommunistischen Antifaschismus war.

1.2 Die sozialdemokratische Faschismusdiskussion

Ähnlich wie die Kommunisten haben auch einige Sozialisten schon Ende 1922 im Faschismus eine „internationale Erscheinung" sehen wollen.[71] Diese Übertragung und Generalisierung des Fa-

---

[69] Abgedruckt bei: Weber, Der deutsche Kommunismus, S. 352–355.

[70] A. a. O.

[71] Julius Braunthal, Der Putsch der Fascisten, in: Der Kampf 15, 1922, S. 320–323, S. 321. – Zur sozialdemokratischen Faschismusdiskussion: Wippermann, Zur Analyse, S. 9–58; Helga Grebing, Auseinandersetzung mit dem Nationalsozialismus, in: Wolfgang Luthardt (Hrsg.), Sozialdemokratische Arbeiterbewegung und Weimarer Republik, Bd. 2, Frankfurt a. M. 1978, S. 259–279; Werner Kowalski/Sieglinde Thom, Faschismusauffassungen in der Sozialistischen Arbeiterinternationale, in: Eichholtz/Gossweiler (Hrsg.), Faschismus Forschung, S. 375–394; Heinz Neumann, zum Faschismusbild in der deutschen Sozialdemokratie, in: a. a. O. S. 395–416; Wolfram Wette, Mit dem Stimmzettel gegen den Faschismus? Das Dilemma

schismusbegriffs war jedoch zunächst keineswegs unumstritten. Vor allem italienische Sozialisten vertraten die These, daß der Faschismus eine spezifisch italienische Erscheinung sei. Doch 1928 meinte auch der italienische Sozialistenführer Filippo Turati, daß das „italienische Phänomen lediglich den Sonderfall einer allgemeinen Situation" darstelle. Der Faschismus sei zumindest latent in allen kapitalistischen Ländern vorhanden.[72]

Diese These fand weitgehende Zustimmung. Spätestens seit dem Ende der 20er Jahre wurde der Faschismusbegriff auch innerhalb der sozialistischen Diskussion mehr oder minder unreflektiert auf nichtitalienische Bewegungen und Regime angewandt. Der deutsche Sozialdemokrat Georg Decker hat dies bereits 1930 mit den folgenden, sehr bemerkenswerten Sätzen kritisiert:

„Vielleicht wäre es korrekt, von Faschismus nur dann zu sprechen, wenn sich die infrage kommende Bewegung in allen wesentlichen Zügen mit dem italienischen Faschismus deckt. Es hat sich aber bei uns schon ein viel freierer Gebrauch des Wortes eingebürgert."[73]

Deckers Warnungen vor einer unreflektierten Anwendung des Faschismusbegriffs wurden jedoch wenig beachtet. In dieser Hinsicht unterschieden sich die sozialistischen Faschismustheoretiker nicht wesentlich von den Kommunisten. Große Unterschiede bestanden

des sozialdemokratischen Antifaschismus in der Endphase der Weimarer Republik, in: Wolfgang Huber/Johannes Schwerdtfeger (Hrsg.), Frieden, Gewalt, Sozialismus. Studien zur Geschichte der sozialistischen Arbeiterbewegung, Stuttgart 1976, S. 358–403; Gerhard Botz, Genesis und Inhalt der Faschismustheorien Otto Bauers, in: International Review of Social History 19, 1974, S. 29–45; ders., Austro-Marxist Interpretations of Fascism, in: Journal of Contemporary History 11, 1976, S. 129–156; Ernst Hanisch, Otto Bauers Theorie des 'Austrofaschismus', in: Zeitgeschichte 11/12, 1974, S. 251–253.

[72] Filippo Turati, Le problème du fascisme au Congres International Socialist, Brüssel 1928; ders. Fascismo, socialismo e democracizia (1928), in: Alessandro Schiavi, Esilio e morte di Filippo Turatie (1926–1932), Rom 1956, S. 122–137; dt. Übers. in: Nolte (Hrsg.), Theorien, S. 133–155. Bis dahin hatten die italienischen Sozialisten im Faschismus vornehmlich ein spezifisch italienisches Phänomen gesehen, das seine Entstehung und seinen Aufstieg im wesentlichen der rückständigen Struktur Italiens verdanken würde. Vgl. dazu: De Felice, Deutungen, S. 178 ff.

[73] Georg Decker, Der erste Schritt, in: Die Gesellschaft 7, I, 1930, S. 97–103, S. 98.

jedoch zwischen kommunistischen und sozialistischen Faschismustheoretikern von Anfang an in der Frage, ob es ausreichend sei, allein auf die prokapitalistische soziale Funktion des Faschismus zu
verweisen.

Der italienische Sozialist Giovanni Zibordi betonte schon 1922,
daß der Faschismus zwar einerseits eine Konterrevolution des Bür-
gertums gegen eine vorausgegangene „rote Revolution" sei, andererseits sei er jedoch zugleich auch der Repräsentant der unzufrie-
denen und durch den Krieg deklassierten Mittelschichten.[74] Luigi
Salvatorelli meinte sogar, daß der Faschismus einen „Klassenkampf
des Kleinbürgertums" führe, das sich „zwischen Kapitalismus und
Proletariat wie der Dritte zwischen zwei Kämpfenden" befinde.[75]
Auch andere Sozialisten wollten im Faschismus geradezu die Partei
des „Kleinbürgertums" sehen.

Bereits 1922 hat der österreichische Sozialist Julius Braunthal versucht, das Spannungsverhältnis zwischen der prokapitalistischen
sozialen Funktion und der kleinbürgerlichen sozialen Basis des Faschismus zu erklären.[76] Dabei berief er sich auf die Bonapartismus-
schriften von Marx und Engels, in denen diese die Entstehung des
Regimes Napoleons III. in Frankreich beschrieben und folgendermaßen erklärt hatten:

Nach der Niederschlagung der Aufstände des Proletariats während der Revolution von 1848 seien die verschiedenen Schichten und
Parteien der französischen Bourgeoisie so sehr geschwächt und
unter sich zerstritten gewesen, daß sie nicht mehr in der Lage gewesen seien, die politische Macht mittels des Parlaments zu behaupten, während das Proletariat noch nicht fähig gewesen sei, diese
Macht zu erringen. In dieser Situation eines „Gleichgewichts der
Klassenkräfte" sei es zu einer „Verselbständigung" der Exekutive gekommen, weil die Repräsentanten der französischen Bourgeoisie

---

[74] Giovanni Zibordi, Critica socialista del fascismo, in: Il fascismo e i
partiti politici italiani. Studi di scrittori di tutti partiti, Bologna–Rocca San
Casciano 1922, S. 1–61; dt. Übersetzung unter dem Titel ›Der Faschismus
als antisozialistische Koalition‹, in: Ernst Nolte (Hrsg.), Theorien über den
Faschismus, Köln–Berlin 1967, S. 79–87.

[75] Luigi Salvatorelli, Nationalfascismo, Turin 1923; Auszüge übers. u.
abgedruckt in: Nolte (Hrsg.), Theorien über den Faschismus, S. 118–137.

[76] Ausführlich dazu mit Hinweisen auf Quellen und Literatur: Wolfgang Wippermann, Die Bonapartismustheorie von Marx und Engels, Stuttgart 1983, S. 41 ff.

zugunsten Louis Bonapartes auf die politische Macht verzichtet hätten, um ihre soziale Macht, die Verfügung über die Produktionsmittel, zu behalten.

Braunthal meinte, daß es nach dem Ersten Weltkrieg in „verschiedenen Ländern der Demokratie mit starker Arbeiterbewegung" ebenfalls zu einem „Gleichgewichtszustand der Klassenkräfte" gekommen sei.[77] In diesen Ländern versuche das Proletariat, die Demokratie als „wirksamen Hebel" für die „Erringung der Staatsgewalt" zu benutzen. Während die Bourgeoisie noch im Besitz der „ökonomischen Gewalt" sei, verfüge das Proletariat teilweise bereits über die „entscheidende materielle Gewalt". Die italienische Bourgeoisie habe in dieser Situation zu einem „illegalen Gewaltinstrument", dem Faschismus, gegriffen. Um derartiges in anderen Ländern zu verhindern, müsse das Proletariat ebenfalls „Gewalt organisierten" und antifaschistische Abwehrorganisationen bilden.[78]

Neben Braunthal haben sich auch andere sozialistische Faschismustheoretiker an den Bonapartismus-Schriften von Marx und Engels orientiert. Zu nennen sind die Italiener Italo Tedesco, Pietro Nenni und Giuseppe Modigliani, die Österreicher Otto Bauer, Wilhelm Ellenbogen und Johann Hirsch sowie die deutschen Sozialdemokraten Oda Olberg, Georg Decker, Rudolf Hilferding, Arkadij Gurland u. a.[79] Sie alle vertraten die These, daß der Faschismus

---

[77] Braunthal, Der Putsch, (wie Anm. 71), S. 322.

[78] A. a. O. S. 323.

[79] Italo Tedesco, Die sozialistische Partei Italiens und die Entstehung des Faschismus, in: Die Gesellschaft 6, II, 1929, S. 211–223; Pietro Nenni, Die Zukunft der italienischen Diktatur, in: Die Gesellschaft 8, II, 1931, S. 1108–1116; ders., Trotzki und der Faschismus. Reformismus, Kommunismus und die italienische Erfahrung, in: Die Gesellschaft 9, I, 1932, S. 303–309; Wilhelm Ellenbogen, Faschismus! Das faschistische Italien, Wien 1923; Giuseppe Modigliani, in: Protokoll des Ersten Internationalen Sozialistischen Arbeiterkongresses, Hamburg 21. bis 25. Mai 1923, Berlin 1923, S. 39; Johann Hirsch, Lumpenbourgeoisie, in: Der Kampf 19, 1926, S. 110–126; Otto Bauer, Das Gleichgewicht der Klassenkämpfe, in: Der Kampf 17, 1924, S. 57–67; Oda Olberg, Der Fascismus in Italien, Jena 1923; dies., Ist der Fascismus eine Klassenbewegung? In: Der Kampf 17, 1924, S. 390–398; dies., Der Rechtsputsch und die bürgerlichen Klassen, in: Der Kampf 24, 1931, S. 1–6; Georg Decker, Offenbarungen der Tat, in: Die Gesellschaft 6, II, 1929, S. 224–235; ders., Der Kampf um die Demokratie, in: Die Gesellschaft 6, I, 1929, S. 293–313; ders., Faschistische Gefahr und Sozialdemo-

ähnlich wie der Bonapartismus in der Situation eines „Gleichgewichts der Klassenkräfte" zur Macht gekommen sei. Im Besitz der politischen Macht und gestützt auf seine Massenpartei habe sich der Faschismus verselbständigen können. Er sei alles andere als ein unselbständiges Werkzeug der Bourgeoisie.

Bereits diese These stand im krassen Widerspruch zu der Auffassung der kommunistischen Faschismustheoretiker. Einige Sozialisten meinten sogar, daß der Faschismus mit dem Bolschewismus verglichen werden könne. Das faschistische wie das bolschewistische Regime seien, wie Otto Bauer formulierte, „über den Klassen schwebende" Diktaturen.[80] Der deutsche Sozialdemokrat Fritz Schotthöfer betonte, daß Faschismus und Bolschewismus „Brüder im Geiste der Gewaltsamkeit" seien. Beide glichen sich wie zwei „gegnerische Heere".[81] Der österreichische Sozialist Johann Hirsch wies darauf hin, daß sich kommunistische und faschistische Partei aus vergleichbaren sozialen Schichten rekrutierten. Der Bolschewismus sei die „revolutionäre", der Faschismus dagegen die „konterrevolutionäre Spielart der Lumpenbourgeoisie".[82]

Derartige Äußerungen können als Replik auf die Sozialfaschis-

kratie, in: Die Gesellschaft 8, 1931, S. 481–496; Rudolf Hilferding, Probleme der Zeit, in: Die Gesellschaft 1, I, 1924, S. 1–17; ders., In Krisennot, in: Die Gesellschaft 8, II, 1931, S. 1–8; ders., Zwischen den Entscheidungen, in: Die Gesellschaft 10, 1933, S. 1–9; Arkadij Gurland, Das Heute der proletarischen Aktion. Hemmnisse und Wandlungen im Klassenkampf, Berlin 1931. – Alle Genannten haben sich mehr oder minder explizit auf die Bonapartismustheorie von Marx und Engels berufen. Es war also nicht August Thalheimer (s. dazu unten S. 43 ff.), der allein oder als erster die Bonapartismusschriften von Marx und Engels herangezogen hat, um den Faschismus zu erklären. Dies wird heute meist übersehen. Richtig dagegen: Kowalski/ Thom, Faschismusauffassungen in der Sozialistischen Arbeiterinternationale (wie Anm. 71), S. 385: „Neben der Totalitarismusdoktrin und der Mittelstandstheorie bildete die Bonapartismustheorie eine der tragenden Faschismusauffassungen, die in der SAI von den reformistischen Führern vertreten wurde." – Auf diesen bonapartismustheoretischen Varianten basieren m. E. auch die Faschismustheorien, die nach 1933 von Richard Löwenthal, Ernst Fraenkel, Franz Neumann und Angelo Tasca entwickelt wurden. Vgl. dazu unten S. 39 ff.

[80] Bauer, Das Gleichgewicht, S. 64.

[81] Fritz Schotthöfer, Il Fascio. Sinn und Wirklichkeit des italienischen Fascismus, Frankfurt a. M. 1924, S. 144.

[82] Hirsch, Lumpenbourgeoisie, S. 123 f.

musthese der Kommunisten angesehen werden. Sie zeigen, daß auch Sozialdemokraten 'Faschismus' als bloßen Kampfbegriff benutzten. Doch dies war keineswegs generell der Fall. Verschiedene sozialdemokratische Autoren haben nämlich wissenschaftliche Analysen des Faschismus vorgelegt, die einen geradezu wegweisenden Charakter hatten. Hier ist vor allem das 1931 veröffentlichte Buch ›Das Heute der proletarischen Aktion‹ des deutschen Sozialdemokraten Arkadij Gurland zu nennen.[83]

Gurland warnte davor, den Faschismusbegriff auf „Länder mit völlig anderem ökonomischen Aufbau und einer stark abweichenden sozialen Gliederung der Bevölkerung" zu übertragen.[84] Die Regime in Polen, Ungarn und Rumänien, die innerhalb der kommunistischen und teilweise auch innerhalb der sozialistischen Faschismusdiskussion als 'faschistisch' eingestuft worden waren, unterscheiden sich – so Gurland – grundlegend vom italienischen Faschismus. Diese „Diktaturen kleiner Cliquen" hätten eine ganz andere „soziale Funktion" als der Faschismus in Italien.[85] In Italien seien die Faschisten zur Macht gekommen, weil sie die Auseinandersetzungen zwischen Proletariat und Bourgeoisie hätten ausnützen können. Dabei seien sie von einer „verelendeten landwirtschaftlichen Bevölkerung" unterstützt worden.[86] Darin liege das „spezifisch Neuartige" des italienischen Faschismus. Er verdanke seinen Erfolg nicht einem „Zuviel", sondern einem „Zuwenig" an Kapitalismus und Industrialisierung.[87] All dies treffe nach Gurlands Meinung nicht auf Deutschland zu. Hier könnten die Faschisten (= Nationalsozialisten) nicht die Schwäche des Proletariats und die Notlage der Landbevölkerung für ihre Zwecke ausnützen. Dafür fänden sie jedoch breite Unterstützung in den Mittelschichten, die durch die Wirtschaftskrise entwurzelt und deklassiert seien. Deshalb habe der Faschismus auch hier eine Chance.

Genau dies bestritt Franz Borkenau, der ursprünglich Mitarbeiter der Komintern gewesen war, sich aber dann der Sozialdemokratie zugewandt hatte.[88] Er wollte im italienischen Faschismus eine

---

[83] Gurland, Das Heute, S. 143 ff.
[84] A. a. O. S. 105.
[85] A. a. O. S. 97 ff.
[86] A. a. O. S. 102.
[87] A. a. O. S. 111.
[88] Franz Borkenau, Zur Soziologie des Faschismus (1933), in: Nolte (Hrsg.), Theorien über den Faschismus, S. 156–181.

Art Entwicklungsdiktatur sehen. Mussolini versuche, die wirtschaftliche und soziale Zurückgebliebenheit seines Landes zu überwinden. Derartiges sei in dem hochindustrialisierten Deutschland nicht notwendig. Angesichts der im Vergleich zu Italien viel stärkeren Position der deutschen Arbeiterbewegung sei eine faschistische Machtergreifung in Deutschland daher undenkbar. Als Borkenaus Aufsatz Anfang 1933 erschien, war Hitler bereits an der Macht.

Dies war kein Einzelfall. So differenziert und zutreffend auch verschiedene sozialdemokratische Autoren Entstehung und Wesen des Faschismus beurteilten, so problematisch und umstritten waren ihre antifaschistischen Abwehrkonzepte. Sozialdemokraten und Sozialisten, die sich dafür einsetzten, zusammen mit den Kommunisten eine „revolutionäre Einheitsfront" gegen die Faschisten zu bilden, konnten sich mit diesem Vorschlag innerhalb ihrer Partei nicht durchsetzen. Maßgebend dafür war das tief verwurzelte Mißtrauen gegenüber den Kommunisten, denen vorgeworfen wurde, teilweise Arm in Arm mit den Faschisten die parlamentarische Demokratie zerschlagen zu wollen. Doch die, überwiegend dem rechten Parteiflügel angehörenden, Sozialdemokraten, die sich für eine „Einheitsfront der Gegenwart zur Verteidigung der Demokratie"[89] einsetzten, mußten die Erfahrung machen, daß dazu die anderen demokratischen Parteien nicht oder nicht mehr bereit und in der Lage waren. Dennoch unternahm die Führung der SPD alles, um die Regierung Brüning zu stützen, weil sie zwar nicht mehr über eine parlamentarische Mehrheit verfüge, aber immerhin noch „faschistenrein" sei. Obwohl gerade Brüning keinen Zweifel daran ließ, daß er bestrebt war, die Arbeiterbewegung zu schwächen, wurden seine Sparmaßnahmen im sozialpolitischen Bereich von der SPD hingenommen. Sicher war Brüning im Vergleich zu Hitler das „kleinere Übel", dennoch war es mehr als problematisch, wenn verschiedene Sozialdemokraten diese Tolerierungspolitik als „antifaschistische Sendung" feierten.[90] Dadurch wurde nämlich weder der Aufstieg der NSDAP noch die zunehmende Schwäche der SPD verhindert. Doch

[89] So der Parteifunktionär Grassmann auf der Sitzung des Parteiausschusses der SPD vom 17. November 1932, in: Anpassung oder Widerstand? Aus den Akten des Parteivorstandes der deutschen Sozialdemokratie 1932/33; hrsg. u. bearb. von Hagen Schulze, Bonn–Bad Godesberg 1975, S. 65.
[90] Alexander Schifrin, Wandlungen des Abwehrkampfes, in: Die Gesellschaft 8, I, 1931, S. 394–417.

was hätten die Sozialdemokraten tun sollen? Der führende Theoretiker der SPD, Rudolf Hilferding, wußte schon 1931 keinen Ausweg, als er in einem Aufsatz erklärte:

„Die Demokratie zu behaupten gegen eine Mehrheit, die die Demokratie verwirft, und das mit den Mitteln einer demokratischen Verfassung, die das Funktionieren des Parlamentarismus voraussetzt, das ist fast die Lösung der Quadratur des Kreises, die da der Sozialdemokratie gestellt ist – eine wirklich nie dagewesene Situation."[91]

War die Situation für die SPD wirklich so hoffnungs- und auswegslos? Gab es überhaupt keine Alternativen zur mehr oder minder passiven Haltung der Sozialdemokratie in der Endphase der Weimarer Republik? Zunächst einmal hätte man wenigstens überprüfen sollen, ob es der KPD mit ihren temporären Einheitsfrontangeboten ernst war. Doch gegen diesen, vor allem von Rudolf Breitscheid gemachten Vorschlag,[92] sprach die bereits erwähnte Tatsache, daß die KPD bis weit in das Jahr 1934 hinein an ihrer Sozialfaschismusthese festhielt.

Die Sozialdemokraten hätten ferner versuchen können, die sozialen Schichten, die vom Nationalsozialismus besonders umworben und von ihm auch besonders angezogen wurden, zu gewinnen. Dafür hat sich vor allem der Soziologe Theodor Geiger eingesetzt. In einem 1930 veröffentlichten und schon damals viel beachteten Aufsatz hatte Geiger die These vertreten, daß sich die Wähler der NSDAP vor allem aus dem „alten" und „neuen Mittelstand" rekrutierten.[93] Nach Geigers Auffassung wiesen die Bauern, Handwerker und Kleinhändler, die er zum „alten Mittelstand" rechnete, eine „zeitinadäquate Ideologie" auf, weil sie sich an der vergangenen vorindustriellen Zeit orientierten. Im Unterschied dazu verträten die Angestellten und kleinen Beamten des „neuen Mittelstandes" eine „standortinadäquate Ideologie", weil sie sich in ihrem Bewußtsein und politischen Handeln an den bürgerlichen Schichten orientierten. Aufgrund ihrer objektiven sozialen Lage gehöre der „neue Mittelstand" jedoch zum Proletariat. Daher sei es für die SPD mög-

---

[91] Rudolf Hilferding, In Krisennot, in: Die Gesellschaft 8, II, 1931, S. 1–8.

[92] Vgl. vor allem die Diskussion dieser Frage in der Sitzung des Parteivorstandes vom 5.2.1933, in: Anpassung oder Widerstand, S. 164ff.

[93] Theodor Geiger, Panik im Mittelstand, in: Die Arbeit 7, 1930, S. 637–653.

lich, gerade die Angehörigen des „neuen Mittelstandes" zu gewinnen, wenn sie eine offensive Sozialpolitik betreiben würde. Doch dazu war die SPD weder bereit noch in der Lage, weil sie nicht in der Regierung vertreten war und weil sie meinte, die Sparpolitik Brünings tolerieren zu müssen.

Anders war es mit dem Vorschlag Geigers und seines Kollegen Svend Riemer, gewissermaßen auf die „standortinadäquate Ideologie" des „neuen Mittelstandes" einzugehen und ebenso bewußt wie gezielt nationalistische Elemente innerhalb der sozialdemokratischen Propaganda zu verwenden.[94] Derartiges konnte jedoch als Anbiederung an die rechten Parteien, ja, an die NSDAP mißverstanden werden. Eine derartige Erfahrung hatte, wie erwähnt, die KPD mit ihrem Schlageter-Kurs machen müssen. Noch problematischer war der Vorschlag des belgischen Sozialisten Hendrik De Man, den sog. Führergedanken innerhalb der Propaganda und Politik der SPD zu verwenden.[95] Dies wäre ohne ein Abrücken von der demokratischen Einstellung der SPD nicht möglich gewesen.

Schließlich sind in diesem Zusammenhang die Pläne und Versuche zu erwähnen, mit Hilfe von proletarischen Selbstschutzorganisationen die faschistische Machtergreifung zu verhindern. Zu diesem Zweck waren in Deutschland das Reichsbanner Schwarz-Rot-Gold und in Österreich der Republikanische Schutzbund gegründet und zu Massenorganisationen ausgebaut worden.[96] Falls die ‚Faschisten' in Deutschland oder Österreich nach dem Vorbild Mussolinis versuchen sollten, gewaltsam – etwa in einem Marsch auf Berlin oder Wien – die Macht zu ergreifen, dann sollten die Kolonnen des Republikanischen Schutzbundes und des Reichsbanners möglichst mit Hilfe von sozialdemokratisch geführten Polizeieinheiten einen derartigen faschistischen Putsch niederschlagen.

Doch dieses antifaschistische Konzept basierte auf zwei falschen Annahmen. Dies war einmal die Erwartung, daß die ‚Faschisten' in Deutschland oder Österreich auf dem gleichen Wege wie Mussolini zur Macht kommen wollten. Übersehen wurde dabei, daß Hitler

---

[94] Theodor Geiger, Die Mittelschichten und die Sozialdemokratie, in: Die Arbeit 8, 1931, S. 619–635; Svend Riemer, Mittelstand und sozialistische Politik, in: Die Arbeit 9, 1932, S. 265–272.

[95] Hendrik De Man, Sozialismus und Nationalfascismus, Potsdam 1931.

[96] Vgl. dazu vor allem: Karl Rohe, Das Reichsbanner Schwarz-Rot-Gold. Ein Beitrag zur Geschichte und Struktur der politischen Kampfverbände zur Zeit der Weimarer Republik, Düsseldorf 1966.

nach seinem 1923 fehlgeschlagenen 'Marsch auf Berlin' seine politische Strategie geändert hatte. Er wollte nämlich ganz 'legal' als Führer der stärksten Partei zur Macht kommen, um dann allerdings, wie er offen verkündete, „den Staat in die Form zu gießen, die unseren Ideen entspricht"[97]. Gerade die SPD hat es nicht verstanden, ihr antifaschistisches Abwehrkonzept dieser veränderten Situation anzupassen.

Hinzu kam ein zweiter Fehler. Die Führer der SPD und des Reichsbanners rechneten fest damit, daß die Polizei in dem bei weitem größten Reichsland, Preußen, unter sozialdemokratischer Kontrolle und Führung stehen würden. Doch dies war seit dem 20. Juli 1932, als die sozialdemokratisch geführte Preußen-Regierung vom Reichskanzler von Papen einfach abgesetzt wurde, nicht mehr der Fall. Obwohl dieser sog. 'Preußenschlag' von Papens eindeutig illegal war, und obwohl die SPD wußte, wie wichtig die Verfügungsgewalt gerade über die preußische Polizei war, blieb sie auch am 20. Juli 1932 völlig passiv. Für den Führer der SPD, Otto Wels, war es „verbrecherischer Wahnwitz", das nichtbewaffnete Reichsbanner gegen die Reichswehr und wohl auch gegen die SA und SS in den Kampf zu schicken.[98] Vermutlich hatte er damit recht. Dennoch war die kampflose Niederlage der SPD am 20. Juli 1932 für viele Sozialdemokraten eine traumatische Erfahrung, die ihren Widerstandswillen geradezu gelähmt hat. Ähnlich war es dann nach der Ernennung Hitlers zum Reichskanzler. Die SPD war wie die KPD nicht mehr zu einem Abwehrkampf bereit und fähig. Einige ihrer Funktionäre versuchten sogar, sich an das neue nationalsozialistische Regime anzupassen.[99] Doch damit war es bald vorbei. Am

---

[97] So Adolf Hitler in seinem sog. Legalitätseid vor dem Leipziger Reichsgericht am 25. 9. 1930, zit. nach: Wolfgang Michalka/Gottfried Niedhart (Hrsg.), Die ungeliebte Republik. Dokumente zur Innen- und Außenpolitik Weimars 1918–1933, München 1980, S. 285.

[98] Otto Wels auf der Sitzung des Parteivorstandes der SPD am 5. 2. 1933; In: Anpassung oder Widerstand? S. 168.

[99] Zu erwähnen sind einmal die Zustimmung der, allerdings zusammengeschmolzenen, Reichstagsfraktion der SPD zur sog. Friedensrede Hitlers vom 17. 5. 1933 und der vom Vorsitzenden Otto Wels verkündete Austritt der SPD aus der Sozialistischen Arbeiter-Internationale. Gewisse Anpassungstendenzen findet man auch in einigen Aufsätzen, die in den letzten Heften der ›Neuen Blätter für den Sozialismus‹ Anfang 1933 erschienen sind. So: Kurt Behrens, Um den Neuaufbau des Staates, in: Neue Blätter für den Sozialismus 4, 1933, S. 179–186; Martin Helmbrecht, Faschismus und

18. Juni 1933 riefen führende sozialdemokratische Funktionäre im Prager Exil das deutsche Volk dazu auf, die „Ketten" zu zerbrechen und für die „Freiheit" und den „Umbau der kapitalistischen zu einer sozialistischen Wirtschaft" zu kämpfen.[100] Die SPD versuchte, viel eher und viel selbstkritischer als die KPD, Konsequenzen aus der epochalen Niederlage zu ziehen, die die deutsche Arbeiterbewegung durch die nationalsozialistische Machtergreifung erlitten hatte. Den Anfang machte Walter Löwenheim, der sich schon vor 1933, wenn auch vergeblich, um eine Aktionseinheit der beiden Arbeiterparteien bemüht und zu diesem Zweck eine konspirativ arbeitende Organisation, namens 'Neu Beginnen' gegründet hatte. In einer bereits 1933 im Exil veröffentlichten Schrift, die ebenfalls den Titel ›Neu Beginnen‹ trug, kritisierte er vor allem die „Bejahung der bürgerlich-demokratischen Republik als politisches Endziel der sozialdemokratischen Bewegung"[101]. Mit dieser ebenso selbstkritischen wie radikalen Ansicht konnte er sich innerhalb der Exil-SPD durchsetzen. Im Januar 1934 beschloß die Partei ein neues Programm, das sog. 'Prager Manifest', in dem nicht nur der Sturz des Faschismus, sondern darüber hinaus die „Zerschlagung des alten politischen Apparates" und die „restlose Zerstörung der kapitalistisch-feudalen und politischen Machtpositionen der Gegenrevolution" gefordert wurden.[102] Erst nach der völligen Entmachtung der alten Eliten sollte der „Aufbau des freien Staatswesens mit der Einberufung einer Volksvertretung" beginnen.

Die Exil-SPD rückte zwar in der Folgezeit von diesen radikalen Positionen ab und bekannte sich wieder als „Partei des demokratischen Sozialismus",[103] die eine Wiederherstellung der parlamentari-

---

Nationalsozialismus – ihre historische Aufgabe, in: Neue Blätter für den Sozialismus 4, 1933, S. 292–300.

[100] Aufruf der Sopade 'Zerbrecht die Ketten' vom 18. Juni 1933, in: Neuer Vorwärts v. 18. Juni 1933; zitiert nach: Bärbel Hebel-Kunze, SPD und Faschismus. Zur politischen und organisatorischen Entwicklung der SPD 1932–1935, Frankfurt a. M. 1977, S. 231–235.

[101] Miles (= Walter Löwenheim), Neu beginnen! Faschismus oder Sozialismus, Karlsbad 1933; zitiert nach: Drei Schriften aus dem Exil; hrsg. u. eingel. von Kurt Klotzbach, Bonn–Bad Godesberg 1974, S. 1–88.

[102] Prager Manifest der Sopade – Kampf und Ziel des revolutionären Sozialismus, 28. 1. 1934; zitiert nach: Mit dem Gesicht nach Deutschland, S. 215–225.

[103] Denkschrift des Parteivorstandes: Zur Frage der Einheitsfront (November 1935); zitiert nach: Mit dem Gesicht nach Deutschland, S. 250–253.

schen Demokratie anstrebe, setzte aber gleichzeitig ihre differen-
zierte Faschismusdiskussion fort. In deren Mittelpunkt stand die
Deutung des nationalsozialistischen Staates. Dabei orientierten sich
verschiedene Autoren an der schon skizzierten Bonapartismustheorie von Marx und Engels.

Der führende Theoretiker der SPÖ, Otto Bauer, vertrat in diesem
Zusammenhang die These, daß auch im Dritten Reich die Macht der
„Großkapitalisten und Großgrundbesitzer" ungebrochen sei. Da
die „Gesellschaftsordnung" stärker sei als die „Staatsverfassung",
würden diese Kreise sehr bald versuchen, sich der Staatsgewalt zu
bemächtigen und eine „unumschränkte Diktatur" errichten.[104]
Auch Richard Löwenthal meinte 1935/36,[105] daß es trotz der „ge-
waltigen Machtsteigerung und Modernisierung des Staatsapparates" im Dritten Reich nur zu einem „scheinbaren Primat der
Politik über die Ökonomie" gekommen sei.[106] Tatsächlich herrsche
eine „Einheitsfront" aus der faschistischen „Partei der bankrotten
Kleinbürger und Unproduktiven" und der „bankrotten Schwer-
industriellen und Großgrundbesitzer", die „innerhalb des Finanzkapitals die Führung erlangt" hätten.[107]
Im krassen Gegensatz zu Löwenthal und Bauer vertrat dagegen
Rudolf Hilferding in einem Aufsatz, den er 1940 kurz vor seiner Ermordung durch die Gestapo geschrieben hatte, die Ansicht, daß es

Ähnliche Tendenzen bereits in der Exilschrift von Curt Geyer (unter dem
Pseudonym Max Klinger), Volk in Ketten. Deutschlands Weg ins Chaos,
Karlsbad 1934.
[104] Otto Bauer, Zwischen zwei Weltkriegen? Die Krise der Weltwirt-
schaft, der Demokratie und des Sozialismus, Bratislava 1936; Auszüge abge-
druckt in: Wolfgang Abendroth (Hrsg.), Faschismus und Kapitalismus.
Theorien über die sozialen Ursprünge und die Funktion des Faschismus,
Frankfurt a. M. 1967, S. 143–168. Ferner. Otto Bauer, Die illegale Partei,
Paris 1939, in: Drei Schriften aus dem Exil, S. 89–288; Otto Bauer, Der
Faschismus, in: Der sozialistische Kampf – la lutte socialiste 1928, S. 75–83.
Hier hat Bauer die Beziehungen zwischen dem Faschismus auf der einen,
dem Kapitalismus im imperialistischen Stadium auf der anderen Seite noch
stärker betont.
[105] Richard Löwenthal (unter dem Pseudonym Paul Sering), Der
Faschismus, in: Zeitschrift für Sozialismus 1935, S. 767–787 u. 839–856;
zitiert nach: Paul Sering, Faschismus und Monopolkapitalismus. Sechs
frühe Aufsätze, o. O. u. o. J.
[106] A. a. O. S. 41 f.
[107] A. a. O. S. 46 u. 52.

im Dritten Reich zu einer totalen „Verselbständigung der Staatsmacht" gekommen sei.[108] Die Nationalsozialisten hätten auch die
Wirtschaft der „Verfügungsgewalt des Staates" unterworfen. Derartige, wie sich Hilferding ausdrückte, „Totalstaaten" könnten nicht
mehr mit Hilfe der von Marx und Engels entwickelten „kausalen
Zusammenhänge" von Basis und Überbau, Ökonomie und Politik
erklärt werden.[109] Ein weiterer emigrierter Sozialdemokrat, Curt
Geyer, hielt es grundsätzlich für unmöglich, daß die „marxistische
Soziologie" mit ihrem „starren Klassenbegriff" in der Lage sei, die
Erscheinungsform des Faschismus zu erklären.[110] Deutschland
„unter der Herrschaft des Nationalsozialismus" sei nämlich „kein
Klassenstaat im Sinne der marxistischen Theorie" mehr.[111]
    Bauer, Löwenthal, Hilferding und Geyer hatten damit ein Pro-
blem aufgegriffen, das auch die Faschismusdiskussion nach 1945 be-
stimmen sollte. Es ist dies die Frage, ob es im faschistischen Staat zu
einem Primat der Ökonomie oder zu einem Primat der Politik gekommen ist. Antworten auf diese zentrale Frage sind in zwei Bü-
chern zu finden, die, obwohl schon vor 1945 erschienen, auch heute
noch als Standardwerke der Nationalsozialismusforschung anzusehen sind.
    Gemeint ist einmal das 1942 publizierte Buch ›Der Doppelstaat‹
von Ernst Fraenkel, der seine berufliche und politische Tätigkeit innerhalb des Allgemeinen Deutschen Gewerkschaftsbundes
(ADGB) begonnen hatte und dann in die USA emigriert war. Fraenkel sah im Dritten Reich eine „Symbiose" zwischen Kapitalismus
und Nationalsozialismus.[112] Die politische Macht befände sich in
den Händen der Nationalsozialisten. Die führenden kapitalistischen Kreise hätten dem ausdrücklich zugestimmt, weil sie hofften,
die Wirtschaftskrise mit Hilfe eines starken Staates und durch die
völlige Entmachtung der Arbeiterbewegung überwinden zu
können. Doch während die „beherrschte Klasse", das Proletariat,
völlig des „Schutzes der Rechtsordnung" beraubt worden sei, benö-

---

[108] Rudolf Hilferding, Das historische Problem, in: Zeitschrift für
Politik NF 1, 1954, S. 293–324, S. 296 f.

[109] A. a. O. S. 315 f.

[110] Curt Geyer, Die Partei der Freiheit, Paris 1939; Drei Schriften aus
dem Exil, S. 299–356.

[111] A. a. O. S. 309.

[112] Ernst Fraenkel, Der Doppelstaat, Frankfurt a. M. 1974 (zuerst New
York 1940).

tigten die Vertreter des Kapitals gewisse Rechtsnormen, weil ohne sie „ein kapitalistisches Unternehmen nicht existieren" könne. Daher seien auch im Dritten Reich auf den Gebieten des Rechts, der Wirtschaft und der Sozialordnung einige traditionelle Institutionen bestehen geblieben, die Fraenkel zum „Normenstaat" rechnete. Gleichzeitig versuchten jedoch die von den Nationalsozialisten ins Leben gerufenen Institutionen und Organisationen der Partei (etwa die Gestapo und die SS), ihre Macht und Kompetenz auszudehnen. Diese Expansionstendenzen des – von Fraenkel so genannten – „Maßnahmenstaates" auf Kosten des „Normenstaates" würden über kurz oder lang zu einer „Störung" selbst des „Wirtschaftslebens" und schließlich auch zu einer Schwächung des nationalsozialistischen „Doppelstaates" führen.

Auch Franz Neumann, der wie Fraenkel in die USA emigriert war, hat in seinem, zuerst 1944 veröffentlichten und nach einer Gestalt aus der jüdischen Mythologie benannten, Buch ›Behemoth‹ darauf hingewiesen, daß es in dem so monolithisch und geschlossen wirkenden nationalsozialistischen 'Führerstaat' zu heftigen Kompetenzkämpfen gekommen ist.[113] Das Dritte Reich sei von der faschistischen Massenpartei und den mit ihr verbündeten „industriellen Machthabern" errichtet worden. Der, wie Neumann sagte, „totalitäre Staat" basiere auf vier Säulen bzw. vier miteinander konkurrierenden Machtblöcken: der faschistischen Partei, der Wehrmacht, der Bürokratie und der Wirtschaft. Während es der Partei gelungen sei, im Bereich der Rassenpolitik ihre zutiefst inhumanen und zugleich irrationalen Ziele durchzusetzen, komme es innerhalb der Sozial- und Wirtschaftspolitik immer wieder zu Konflikten zwischen den konkurrierenden Machtblöcken, die nur vorübergehend beigelegt werden könnten.[114]

Fraenkels und Neumanns Thesen sind von der neueren Nationalsozialismusforschung weitgehend bestätigt worden.[115] Ihre Arbeiten sind auch heute noch als Standardwerke anzusehen. Allerdings haben sie und auch die Mitglieder der sog. Frankfurter

[113] Franz Neumann, Behemoth. Struktur und Praxis des Nationalsozialismus 1933–1944, Frankfurt a. M. 1977 (zuerst New York 1942/44).

[114] Gute Interpretation der Theorie von Neumann bei: Gert Schäfer, Franz Neumanns 'Behemoth' und die heutige Faschismusdiskussion, in: Neumann, Behemoth, S. 665–776.

[115] Zur Polykratiethese von Hans Mommsen, Peter Hüttenberger u. a. s. u. Kap. 3.2, S. 99.

Schule[116] sich mehr oder minder ausschließlich mit dem Nationalsozialismus beschäftigt. Wichtige Hinweise und Anregungen für
eine vergleichende Faschismusforschung findet man dagegen in dem
zuerst 1938 veröffentlichten Buch Angelo Tascas über den ›Aufstieg
des Faschismus in Italien‹.[117]
Tasca hatte zur Führungsspitze der italienischen kommunistischen Partei gehört, sich aber dann wieder den Sozialisten angeschlossen, weil er den Dogmatismus gerade der kommunistischen
Faschismustheoretiker scharf ablehnte. Auch in seinem Buch be-
schritt er einen anderen, betont undogmatischen Weg. Er lehnte es
ab, auf der rein theoretischen Ebene die Beziehungen zwischen
Kapitalismus und Faschismus zu analysieren. Um den Faschismus
„definieren" zu können, müsse man „zuallererst die Geschichte des
Faschismus schreiben."[118] Erst dann, d. h. nach dem „Studium aller
Formen des Faschismus, der getarnten und der offenen, der unter-
legenen und der siegreichen", sollte man eine „Theorie des Faschismus" entwerfen.[119] Auszugehen sei von der Geschichte des Faschismus in Italien, die dann „mit dem Geschehen in anderen Ländern
und späteren Epochen" zu vergleichen sei. Dabei sei es notwendig,
auch auf die „spezifischen Unterschiede" hinzuweisen. Dennoch
gebe es zwischen der Entwicklung des Faschismus in Italien und der
in Deutschland gewisse Gemeinsamkeiten. Beide 'Faschismen'
seien nämlich in der Situation eines „Gleichgewichts" zur Macht gekommen. Die bürgerlich-konservativen Kräfte hätten jedoch vergeblich gehofft, sich ihres faschistischen „Verbündeten […] leicht
[zu] entledigen"[120]. Die faschistische Partei habe es statt dessen in
beiden Ländern verstanden, jedes „politische Leben" zu unterdrücken und zu kontrollieren.

---

[116] Dazu: Helmut Dubiel/Alfons Söllner (Hrsg.), Wirtschaft, Recht
und Staat im Nationalsozialismus. Analysen des Instituts für Sozialforschung 1939–1942, Frankfurt a. M. 1981. Zur Kritik und mit Hinweisen auf
weitere Literatur: Erich Cramer, Hitlers Antisemitismus und die 'Frankfurter Schule'. Kritische Faschismus-Theorie und geschichtliche Realität,
Düsseldorf 1969.

[117] Zitiert nach der dt. Übersetzung: Angelo Tasca, Glauben, gehorchen, kämpfen. Aufstieg des Faschismus in Italien, Wien o. J.

[118] A. a. O. S. 374.

[119] Ebenda. Vgl. zum folgenden auch die an den Ausführungen von
Tasca orientierte Zusammenfassung, bes. S. 114.

[120] A. a. O. S. 375 und 377. Nächstes Zitat S. 384.

1.3 Die Faschismusdiskussion der kommunistischen und sozialistischen Splittergruppen

Die kommunistische und sozialistische Faschismusdiskussion war, wie wir gesehen haben, nie rein wissenschaftlich, war und sollte immer politisch zweck- und zielgerichtet sein. Sie war daher Faktor und Indikator der konkreten Politik der kommunistischen und sozialistischen Parteien, und zwar sowohl gegenüber dem 'Faschismus' wie im Verhältnis der verfeindeten Arbeiterparteien untereinander. Die kommunistische und sozialistische Faschismusdiskussion war darüber hinaus Faktor und Indikator auch von innerparteilichen Konflikten. Diese Konflikte waren meist untrennbar mit der kontroversen Einschätzung des Wesens des Faschismus und der daraus abgeleiteten antifaschistischen Strategie verbunden. In Deutschland war die Faschismusdiskussion innerhalb von SPD und KPD so kontrovers, daß oppositionelle Kräfte die KPD und SPD verließen und neue sozialistische bzw. kommunistische Parteien gründeten. Gemeint ist die 1931 als linke Absplitterung der SPD entstandene Sozialistische Arbeiterpartei Deutschlands (SAP) sowie die von einer innerparteilichen Opposition um August Thalheimer und Heinrich Brandler 1930 entstandene KPD-Opposition (KPO).

Die SAP wurde von Repräsentanten der linken Opposition innerhalb der SPD ins Leben gerufen, die die Tolerierungspolitik der Partei ablehnten, eine antifaschistische Einheitsfront mit der KPD bilden wollten und die einen offensiveren Kurs gegenüber der NSDAP, aber auch gegenüber den Kabinetten Brüning, von Papen und von Schleicher forderten.[121] Maßgebend dafür war ihre Einschätzung des Faschismus. Er wurde im theoretischen Organ der

---

[121] Vgl. dazu die Artikel in der Zeitschrift der SPD-Linken und dann der SAP, in ›Der Klassenkampf‹. Besonders wichtig sind: Max Seydewitz, Die Rolle des Faschismus. Wie will der Kapitalismus die Krise überwinden? In: Der Klassenkampf 5, 1931, S. 161–164; Fritz Sternberg, Verschärfung der Krise verlangt verschärften Kampf gegen den Faschismus, in: Der Klassenkampf 6, 1932, S. 12–13; Die Lehren des 20. April, in: Der Klassenkampf 6, 1932, S. 129–132; Hans Frank, Bonapartistisches Plebiszit in Deutschland, in: Der Klassenkampf 6, 1932, S. 193–200; Hitlers 'Arbeiterpartei' – die Avantgarde des Trustkapitals, in: Der Klassenkampf 6, 1932, S. 212–217. – Allgemein zur SAP: Hanno Drechsler, Die Sozialistische Arbeiterpartei Deutschlands (SAPD), Meisenheim 1965; Jörg Bremer, Die Sozialistische Arbeiterpartei Deutschlands SAP. Untergrund und Exil 1933–1945, Frankfurt a. M. 1978.

SAP und früheren linken Opposition innerhalb der SPD, ›Der Klassenkampf‹ als eine besondere kapitalistische Staatsform innerhalb der allgemeinen Entwicklung des Imperialismus definiert. Eine Deutung, die jedoch erst von Fritz Sternberg zu einer konsistenten Faschismustheorie ausgebildet wurde.[122] Der Faschismus war nach Sternberg die spezifische Staatsform des hochentwickelten Imperialismus. Er wurde als das Instrument einiger Kapitalfraktionen angesehen, die sich zwar innerhalb des finanzkapitalistischen Oligopols durchgesetzt hätten, ihre Macht und damit den Bestand des kapitalistischen Staates aber nur mit Hilfe des Faschismus einerseits, der Auslösung von imperialistischen Kriegen andererseits sichern könnten. Die SAP blieb bis zur nationalsozialistischen Machtergreifung eine zahlenmäßig bedeutungslose Splittergruppe. Bei den Reichstagswahlen vom 31. Juli 1932 gewann sie mit ihren 76 000 Stimmen kein einziges Mandat. Bei den Reichstagswahlen im November des gleichen Jahres erzielte die SAP nur noch 45 000 Stimmen. Nach dem 30. Januar 1933 gelang es ihr jedoch, sich schneller und effektiver auf die Bedingungen der Illegalität einzustellen. In Deutschland wurden Fünfergruppen gebildet, die von einer illegalen Reichsleitung in Berlin und einer Auslandsleitung in Paris geführt und mit Propagandamaterialien versorgt wurden. Die recht intensive Widerstandsarbeit der SAP, an der sich u. a. auch Willy Brandt beteiligte, wurde jedoch von der Gestapo nach und nach aufgedeckt und zerschlagen. Viele Mitglieder der SAP, die Deutschland hatten rechtzeitig verlassen können oder müssen, nahmen dann in den Internationalen Brigaden am Spanischen Bürgerkrieg teil. Hier sympathisierten sie mit der linkssozialistischen POUM (Partido Obrero de Unificacion Marxista). Diese Partei wurde jedoch von der Komintern, den spanischen Kommunisten und sowjetischen Geheimpolizisten als 'trotzkistisch' eingestuft und blutig verfolgt.[123] Dies bestärkte die SAP in ihrem schon vorher vorhandenen Mißtrauen gegenüber der Komintern, die Mitglieder der SAP nicht in die zu bildenden antifaschistischen Volksfronten aufnehmen wollte. Sofern sie den nationalsozialistischen Terror überlebten, haben die meisten Mitglieder der SAP vor und nach 1945 den

---

[122] Fritz Sternberg, Der Faschismus an der Macht, Amsterdam 1935.
[123] Zur Geschichte der POUM: Pierre Broué/Émile Témime, Revolution und Krieg in Spanien, Frankfurt a. M. 1968, bes. S. 475 ff. Ob und inwieweit auch die Faschismusdiskussion der POUM von der SAP (und der KPO) rezipiert wurde, ist mir nicht bekannt.

Weg wieder zurück zur SPD gefunden. Prominentestes Beispiel ist wiederum Willy Brandt.

Die von August Thalheimer und Heinrich Brandler gegründete KPO ist genau wie die SAP eine Splittergruppe geblieben, die sowohl von Kommunisten wie Sozialdemokraten höhnisch „KP-Null" genannt wurde.[124] Wie der SAP ist es auch der KPO nicht gelungen, SPD und KPD zu veranlassen, eine antifaschistische Einheitsfront zu bilden.

Bedeutungsvoll und erwähnenswert ist jedoch die Faschismusdiskussion der KPO, die bis 1933 in ihrer Zeitschrift ›Gegen den Strom‹ und danach in der Exil-Zeitschrift ›Internationaler Klassenkampf‹ geführt wurde.[125] Die Artikel, die August Thalheimer in der Zeitschrift ›Gegen den Strom‹ veröffentlicht hatte, sind dann in den 60er Jahren von dem Marburger Politikprofessor Wolfgang Abendroth neu herausgegeben worden. Sie haben einen großen Einfluß innerhalb der damaligen sog. neomarxistischen Faschismusdiskussion gehabt.[126]

Übersehen wurde damals, daß die wichtigsten Bestandteile der Faschismustheorie Thalheimers nicht von ihm geprägt, sondern von sozialdemokratischen Autoren übernomen worden sind. Dies gilt für die bereits behandelten bonapartismustheoretischen Elemente vom Gleichgewicht der Klassenkräfte als Ausgangspunkt und von der partiellen und temporären Verselbständigung der faschistischen Exekutive. Ähnlich wie verschiedene sozialdemokratische Autoren

---

[124] Zur Faschismusdiskussion der KPO, die von SPD und KPD kaum beachtet wurde: Karl Heinz Tjaden, Struktur und Funktion der 'KPO-Opposition' (KPO), Meisenheim 1964, S. 101 ff. und 271 ff. Rüdiger Griepenburg/K. H. Tjaden, Faschismus und Bonapartismus. Zur Kritik der Faschismustheorie August Thalheimers, in: Das Argument 41, 1966, S. 461–472; Jost Dülffer, Bonapartism, Fascism and National Socialism, in: Journal of Contemporary History 11, 1976, S. 109–128.

[125] Eine Auswahl von Artikeln aus ›Gegen den Strom‹ und ›Internationaler Klassenkampf‹ sind von der 'Gruppe Arbeiterpolitik' in zwei Bänden abgedruckt worden. Gruppe Arbeiterpolitik (Hrsg.), Der Faschismus in Deutschland. Analysen der KPD-Opposition aus den Jahren 1928 bis 1933, Frankfurt a. M. 1973; Gruppe Arbeiterpolitik (Hrsg.), Volksfront, ihre Ursachen und ihre Folgen am Beispiel Frankreichs und Spaniens. Artikel aus dem ›Internationalen Klassenkampf‹ von 1935–1939, Bremen o. J.

[126] Wolfgang Abendroth (Hrsg.), Faschismus und Kapitalismus. Theorien über die sozialen Ursprünge und die Funktion des Faschismus in Deutschland, Frankfurt a. M. 1967, S. 19–38.

vor ihm hat Thalheimer Aufstieg, Machtergreifung und staatliche Struktur des Faschismus mit Hilfe der Bonapartismustheorie von Marx und Engels bzw. in Anlehnung an sie zu erklären versucht.der Faschismus sei die „politische Unterwerfung aller Massen, einschließlich der Bourgeoisie selbst, unter die faschistische Staatsmacht bei sozialer Herrschaft der Groß-Bourgeoisie und der Großgrundbesitzer"[127]. Daher seien Faschismus und Bonapartismus spezifische und sich zugleich weitgehend ähnelnde Formen der offenen Diktatur des Kapitals.

Diese weitgehende Gleichsetzung zwischen dem Bonapartismus des 19. und dem Faschismus des 20. Jahrhunderts ist freilich als problematisch anzusehen. Thalheimer übersah dabei nämlich einmal die Unterschiede zwischen Bonapartismus und Faschismus im sozioökonomischen Bereich. Hinzu kamen seine Vergleiche, ja Gleichsetzungen der „Dezemberbande" Louis Bonapartes mit den faschistischen Parteien. Damit wurde die politische Bedeutung der neuartigen faschistischen Massenparteien unterschätzt. Eng damit verbunden war seine Überschätzung der politischen „Aushöhlung des bürgerlich-parlamentarischen Regimes" in der Endphase der Weimarer Republik. Sprach doch Thalheimer in diesem Zusammenhang von einer „Faschisierung" der Weimarer Republik, die nur durch die Errichtung der „proletarischen Diktatur" aufzuhalten sei. Mit dieser These versperrte er sich den Zugang zu den Sozialdemokraten, deren Ziel es war, die Demokratie zu verteidigen. Thalheimer jedoch lehnte die „Bejahung der bürgerlichen Demokratie schlechthin, wie sie von der Sozialdemokratie vertreten" wurde, grundsätzlich ab.[128]

Auf der anderen Seite fand seine Forderung nach der „Politik des Kampfes gegen den bürgerlichen Staat, gegen die Kapitalherrschaft überhaupt" bei den Kommunisten keinen Beifall, weil sie die Kritik des ‚Renegaten' Thalheimer an der Sozialfaschismusthese und an der Bolschewisierung bzw. Stalinisierung der KPD scharf zurückwiesen.

Die KPO hat die Bedeutung des 30. Januar 1933 weitaus eher und zutreffender erkannt, als es kommunistische und verschiedene so-

---

[127] Thalheimer, Über den Faschismus, in: Gruppe Arbeiterpolitik (Hrsg.), Der Faschismus in Deutschland, S. 38–36.
[128] Besonders deutlich in dem ungezeichneten Artikel ›Faschismus und bürgerliche Demokratie‹, in: Gegen den Strom 3, 1930; zitiert nach: Der Faschismus in Deutschland, S. 107–109.

zialdemokratische Autoren getan haben. Das Kabinett Hitlers
stelle, wie man in einer der letzten Nummern von ›Gegen den
Strom‹ lesen konnte, eine ungeheure Gefahr dar, weil es über die
„Exekutivgewalt und über die ausschlaggebende faschistische Mas-
senorganisation" verfüge.[129] Diese Machtmittel würden die Faschisten rücksichtslos einsetzen, und zwar zunächst für den „Vernich-
tungskampf gegen den Kommunismus" und dann für den „Kampf
gegen die Sozialdemokraten". Diesen hellsichtigen Worten folgten
Taten. Auch die KPO hat, wiederum ähnlich wie die SAP, einen sehr
intensiven und zugleich gut organisierten Widerstandskampf in
Deutschland selber und vom Exil aus geführt. Allerdings blieb die
KPO auch nach 1933 auf sich allein gestellt. Es gelang ihr nicht, Ein-
heitsfronten mit Sozialdemokraten oder Kommunisten zu bilden
bzw. in derartige Bündnisse aufgenommen zu werden.

Dies lag einmal daran, daß die KPO weiterhin der Meinung war,
daß der Kampf zum „Sturz der faschistischen Diktatur" nicht zur
„Wiederherstellung der bürgerlichen Demokratie" führen dürfe.
Diese Sehweise wurde spätestens nach 1935 von der Führung der
SPD abgelehnt. Noch schärfer war die Kritik an der KPO durch die
Komintern. Maßgebend dafür war einmal die Sympathie der KPO
gegenüber der schon erwähnten POUM, zum anderen ihre Ablehnung des auf dem VII. Weltkongreß ausgegebenen Volksfrontkurses. In ihm sahen die Theoretiker der KPO nur eine Ersetzung
der „ultralinken Theorie des Sozialfaschismus" durch eine ebenso
falsche „ultrarechte Politik der Volksfront".[130] Die Folge war, daß

---

[129] (Ungezeichneter Artikel) Die politische Lage, in: Gegen den
Strom 6, 1933; zitiert nach: Der Faschismus in Deutschland, S. 203–211,
S. 206 f.

[130] Siehe besonders den Artikel: Die Niederlage und die Wiedererhebung
der deutschen Arbeiterklasse im Kampf gegen die faschistische Diktatur, in:
Gegen den Strom 6, 1933; zitiert nach: Theodor Bergmann, 50 Jahre KPD
(Opposition). 30. 12. 1928–30. 12. 1978. Der Beitrag der KPO zur marxisti-
schen Theorie und Geschichte der deutschen Arbeiterbewegung – Versuch
einer kritischen Würdigung, Hannover 1978, S. 81–101. Zur Ablehnung des
Volksfrontkurses siehe: Die Volksfrontpolitik der KPD, in: Internationaler
Klassenkampf, April 1936; zitiert nach: Volksfrontpolitik, S. 84–88; und:
Volksfrontpraxis und Volksfrontillusion, in: Internationaler Klassenkampf,
November 1936; zitiert nach: Volksfrontpolitik, S. 17–20. Scharfe Kritik
dann an den Säuberungen in der Sowjetunion und an der Verfolgung der
POUM in Spanien in: Erklärung des Büros der IVKO (= Internationale
Vereinigung der Kommunistischen Opposition) zu den jüngsten Vorgängen

die KPO von der Komintern geradezu totgeschwiegen wurde.
Daran hat sich bis heute nichts geändert. Der 1948 im kubanischen
Exil verstorbene Thalheimer (seine Rückkehr nach Deutschland
war vom amerikanischen Geheimdienst strikt abgelehnt worden)
gehört zu den großen Unpersonen innerhalb der kommunistischen
Historiographie. Dieses Schicksal teilt er mit Trotzki.

Trotzki hat sich erst spät, nämlich 1930, und zugleich mehr oder
minder ausschließlich mit dem sog. deutschen Faschismus beschäftigt.[131] Seine Faschismustheorie ist nur im Zusammenhang und vor
dem Hintergrund seiner Theorie von der Notwendigkeit und Möglichkeit einer „permanenten Revolution" verständlich. Trotzki
wollte im Aufstieg der NSDAP ausdrücklich den Beweis für das
„Herannahen einer revolutionären Krise" in Deutschland erkennen. Diese vorrevolutionäre Situation könne jedoch sowohl zur
Revolution wie zur faschistischen Konterrevolution führen. Zur
Verdeutlichung dieser These hat Trotzki mehrmals das Bild einer
Kugel benutzt, die auf der Spitze einer Pyramide liegt und nur durch
einen geringen Anstoß entweder nach links zur Revolution oder
nach rechts zur Konterrevolution hinabrollt.[132]

in der Sowjetunion und in Spanien vom 29. Juli 1937; zitiert nach: Bergmann, 50 Jahre KPD, S. 118–123.

[131] Vor 1930 hat Trotzki offensichtlich den Faschismus als nicht so gefährlich angesehen. Vgl. seinen am 21.6.1924 erschienenen Aufsatz ›Faschismus und Reformismus‹, abgedruckt in: Leo Trotzki, Schriften über
Deutschland, Bd. 1–2; hrsg. von Helmut Dahmer, Frankfurt a. M. 1971,
Bd. 1, S. 719–723. Trotzki wandte sich hier sowohl gegen die These (Sino-
wjews), daß man in eine „Epoche des Faschismus eingetreten" sei, wie die
Angewohnheit (vieler Kommunisten), von der „Errichtung eines faschistischen Regimes" zu sprechen, wenn „irgendwo einige streikende Arbeiter
eingesperrt" seien. Seiner Meinung nach seien die „Menschewisten" viel gefährlicher als die Faschisten.

[132] Zur These von dem Herannahen einer 'revolutionären Krise' in
Deutschland bes.: Leo Trotzki, Die Wendung der Komintern und die Lage
in Deutschland (26.9.1930), in: Leo Trotzki, Wie wird der Nationalsozia-
lismus geschlagen? Hrsg. von Helmuth Dahmer, Frankfurt a. M. 1971,
S. 13–35. Zur These von der prinzipiellen Offenheit der in Deutschland ein-
getretenen Situation: Leo Trotzki, Soll der Faschismus wirklich siegen?
Deutschland – der Schlüssel zur internationalen Lage (26.11.1931), in:
Trotzki, Wie wird der Nationalsozialismus geschlagen? S. 36–54. – Zur
Kugel-Pyramide-Metapher: Leo Trotzki, Wie wird der Nationalsozialismus geschlagen? (8.12.1931), in: a. a. O. S. 55–66.

Ausgehend von diesem Bild bzw. dieser Theorie hat Trotzki nicht nur die Tolerierungspolitik der SPD als „passives Zurückweichen vor dem Faschismus" gegeißelt, sondern auch der Führung der KPD mangelnde Offensiv- und Kampfbereitschaft vorgeworfen. Notwendig sei die Herstellung einer revolutionären Einheitsfront von SPD und KPD, die den Kampf gegen den Faschismus mit dem „Kampf um die Diktatur des Proletariats" verbinden müsse. Um dieses Ziel zu erreichen, müßten die Sozialdemokraten auf die Tolerierungspolitik, die Kommunisten auf die Sozialfaschismusthese verzichten. Überflüssig, darauf hinzuweisen, daß Trotzki mit diesen vielleicht richtigen, aber realitätsfernen Vorschlägen weder bei der SPD noch bei der KPD Gehör fand.

Interessant ist dagegen die diesen Vorschlägen zugrundeliegende Faschismustheorie. Auch Trotzki hat sich dabei an den Bonapartismusschriften von Marx und Engels orientiert. Anders als Thalheimer und auch anders als sozialdemokratische Autoren wie Otto Bauer, die von Trotzki heftig attackiert wurden, hat er den Faschismus jedoch nicht mit Hilfe von Elementen der Bonapartismustheorie erklärt, sondern statt dessen auf die Unterschiede und Übergänge zwischen den bonapartistischen und faschistischen Regierungsformen hingewiesen. Bonapartistische Systeme, zu denen Trotzki in Deutschland die Regierungen von Papen und von Schleicher zählte, entstünden, wenn der „Kampf zweier sozialer Lager – der Besitzenden und der Besitzlosen, der Ausbeuter und der Ausgebeuteten" seine „höchste Spannung erreicht" habe.[133] Es komme dann zu einer „Herrschaft von Bürokratie, Polizei, Soldateska". Ein derartiges bonapartistisches Regime wahre zwar die ökonomischen und sozialen Interessen der Bourgeoisie, verfüge jedoch gleichzeitig über eine relativ selbständige Stellung. Das bonapartistische Regime bleibe zwar „Commis der Eigentümer", doch, so heißt es in der bilderreichen Sprache Trotzkis, der „Commis" sitze dem „Herrn auf dem Buckel, reibt ihm den Nacken wund und steht nicht an, seinem Herrn gegebenenfalls mit dem Stiefel über das Gesicht zu fahren".[134] Das Gefährliche an derartigen bonapartistischen Regimen, zu denen Trotzki auch die Regime Primo de Rivera in Spanien sowie Piłsudski in Polen zählte, sei, daß sie sich zu faschistischen wandeln könnten. Dies sei nur durch revolutionäre Aktionen des Proletariats zu verhindern.

---

[133] Leo Trotzki, Der einzige Weg (13./14. 9. 1932), in: a. a. O. S. 203–267.
[134] A. a. O. S. 208.

Auch in den nach 1933 publizierten Aufsätzen blieb Trotzki seiner Überzeugung treu, wonach nur die proletarische Revolution als antifaschistische Strategie in Frage komme. Bei dieser revolutionären Politik und Zielsetzung könnten und müßten sich die europäischen Arbeiterparteien mit den antikolonialen Befreiungsbewegungen in Afrika, Indien und Lateinamerika verbünden, um gemeinsam sowohl gegen faschistische Staaten wie „imperialistische Demokratien" zu kämpfen.[135]

Es ist nicht verwunderlich, daß diese radikalen Vorschläge Trotzkis weder bei den sozialdemokratischen Parteien noch bei den demokratischen Regierungen der späteren Anti-Hitler-Koalition Gegenliebe fanden. Auf der anderen Seite unternahm Trotzki auch nichts, um das Zerwürfnis mit dem Kommunismus im allgemeinen, insbesondere mit der Sowjetunion zu beseitigen und zu überwinden. Im Gegenteil! In einer 1937 veröffentlichten kleinen Schrift verglich er den „Sowjetstaat" ausdrücklich mit dem „totalitären Staat" Hitlers.[136] Beide Regime könnten im Hinblick auf ihre terroristischen und bürokratischen Regierungsmethoden miteinander verglichen werden. Während Stalin auf Kosten des Proletariats eine bonapartistisch entartete Herrschaft errichtet habe, habe in Deutschland die herrschende bürgerliche Klasse zugunsten Hitlers auf die direkte Ausübung der politischen Macht verzichtet, um ihre ökonomische Macht um so schrankenloser einsetzen zu können.

Die von Trotzki skizzierte Totalitarismustheorie auf bonapartismustheoretischer Grundlage ist dann nach seiner Ermordung von einigen seiner Schüler fortgesetzt und vervollkommnet worden.[137]

---

[135] Leo Trotzki, Die Tragödie des deutschen Proletariats. Die deutsche Arbeiterklasse wird sich wieder aufrichten, der Stalinismus nie! (14.3.1933), in: a.a.O. S. 278–289; ders., Die deutsche Katastrophe (28.5.1933), in: Trotzki, Schriften über Deutschland, S. 732–741; ders., Deutsche Perspektiven (22.6.1933), in: Trotzki, Schriften über Deutschland, S. 595–602. Sehr differenziert ist: ders., Porträt des Nationalsozialismus (10.6.1933), in: Trotzki, Wie wird der Nationalsozialismus geschlagen? S. 290–299. Vgl. auch: Trotzkis letzter Artikel vom 20.8.1940, in: Trotzki, Schriften über Deutschland, S. 732–741.

[136] Leon Trotsky, The Class Nature of the Soviet State. The Worker's State and the Question of Thermidor and Bonapartism, London 1937.

[137] Zu nennen sind James Burnham, Paolo Rizzi und Max Schachtmann. – Dazu und generell zu Trotzkis Faschismustheorie Robert S. Wistrich: Leon Trotsky's Theory of Fascism, in: Journal of Contemporary History 11, 1976, S. 157–184, bes. S. 178.

Diese trotzkistischen Varianten der Totalitarismustheorie sind jedoch sowohl innerhalb der sog. bürgerlichen wie marxistischen Faschismusdiskussion nicht beachtet worden.

1.4 Die konservativ-liberale Faschismusdiskussion und die Herausbildung der Totalitarismustheorie

Die bisher behandelten Kommunisten, Sozialisten und Angehörige sozialistischer und kommunistischer Splittergruppen waren überzeugte Antifaschisten, die mit ihren Deutungen des Faschismus zu seiner Bekämpfung und Überwindung beitragen wollten. Diese antifaschistische Zielsetzung ist m. E. ein allgemeines Kennzeichen der Faschismustheorien. Sie unterscheiden sich daher sowohl von den ideologischen Selbstdarstellungen der Faschisten[138] wie von mehr oder minder positiven Beurteilungen des Faschismus durch konservative und liberale Autoren, die in ihm allenfalls einen Konkurrenten, meist jedoch einen Bündnispartner im Kampf gegen den gemeinsamen Feind – die Linke – sehen wollten. Doch es gab auch Konservative und Liberale, die dem Faschismus kritisch gegenüberstanden. Einige von ihnen lehnten ihn jedoch vornehmlich deshalb ab, weil der Faschismus viele Gemeinsamkeiten mit dem Bolschewismus aufweise. Sie vertraten die These, daß Faschismus/Nationalsozialismus und Bolschewismus/Kommunismus Varianten ein und derselben Erscheinung seien – des Totalitarismus. Im folgenden wird an einigen Beispielen geschildert, wie sich diese Totalitarismustheorie aus der konservativ-liberalen Faschismusdiskussion herausgebildet hat. Begonnen wird mit der zeitgenössischen Faschismusdiskussion der italienischen Konservativen und Liberalen.[139]

Die Haltung der italienischen Konservativen und Liberalen zum Faschismus war keineswegs einheitlich. Während einige von ihnen

[138] Andere Auffassung bei: Ernst Nolte (Hrsg.), Theorien über den Faschismus, Köln–Berlin 1967, S. 16, der das „faschistische Selbstverständnis" als eine „Theorie über den Faschismus" bezeichnet.

[139] Allgemein zur Faschismusdiskussion der Liberalen und Konservativen: Nolte, a. a. O.; De Felice, Deutungen (bes. S. 148 ff. über die italienische Diskussion); Wolfram Ender, Konservative und rechtsliberale Deuter des Nationalsozialismus 1930–1945. Eine historisch-politische Kritik, Frankfurt a. M. 1984.

– zu nennen ist vor allem der Philosoph Giovanni Gentile[140] – mit
dem Faschismus kollaborierten oder sogar offen zu ihm überliefen,
nahmen andere eine immer kritischer werdende Haltung ein. Kritisiert wurden vor allem die terroristischen und antidemokratischen
Herrschaftsmethoden des Faschismus. Zurückgewiesen wurde
ferner der Anspruch der faschistischen Ideologen, die nationalen
Traditionen Italiens fortzusetzen. Für Piero Gobetti verkörperte
der Faschismus allenfalls die negativen Elemente der italienischen
Nation.[141] Er sei eine „antikritische, antiaufklärerische und bei
allem gewaltsamen Gehabe quietistische Bewegung in einem Lande,
für das nichts notwendiger wäre als Kritik, Aufklärung und Auseinandersetzung".

Liberale wie Mario Missiroli und Luigi Salvatorelli behaupteten,
daß der Faschismus schon wegen seiner kleinbürgerlichen sozialen
Basis eine antibürgerliche, ja, in gewisser Weise sogar revolutionäre
Bewegung sei.[142] Er bekämpfe sowohl das Proletariat wie den Kapitalismus und gehöre generell zur „europäischen Reaktion" gegen
Liberalismus und Demokratie.[143] Andere Liberale und Konservative schließlich meinten, daß sich der Faschismus an einem ausländi-
schen Vorbild, und zwar vor allem am Bolschewismus orientiere
und wie dieser ein Todfeind des liberalen Systems und der Demokratie sei. Der ehemalige italienische Ministerpräsident Francesco
Nitti erklärte in diesem Zusammenhang: „Faschismus und Bolschewismus beruhen nicht auf entgegengesetzten Grundsätzen, sie be-
deuten die Verleugnung derselben Grundsätze von Freiheit und
Ordnung."[144]

---

[140] Vgl.: Giovanni Gentile, Manifest der faschistischen Intellektuellen
an die Intellekturellen, in (dt. Übersetzung): Nolte (Hrsg.), Theorien,
S. 112–117.

[141] Piero Gobetti, La nostra cultura politica, in: La Rivoluzione liberale,
2, (Turin) 1923, S. 17–18; ders., Dal bolscevismo al fascismo, Turin 1923;
auch in: Piero Gobetti, Scritti politici; hrsg. von Paola Spriano, Turin 1969,
S. 456–476.

[142] Mario Missiroli, Il fascismo e la crisi italiana, in: Il fascismo e i partiti
politici italiani. Studi di scrittori di tutti i partiti, Bologna 1921, S. 1–60;
Luigi Salvatorelli, Nationalfascismo, Turin 1923; übersetzte Auszüge in:
Nolte (Hrsg.), Theorien, S. 118–137.

[143] Salvatorelli, Nationalfaschismus, in: Nolte (Hrsg.), Theorien, bes.
S. 136.

[144] Francesco Nitti, Bolschewismus, Fascismus und Demokratie, München 1926, S. 53.

Der Führer der katholischen Volkspartei, der Popolari, Luigi Sturzo, der wie Nitti das faschistische Italien hatte verlassen müssen, schloß sich dieser These an.[145] Der Faschismus würde genau wie der Bolschewismus das „Freiheitsprinzip" ablehnen. Daher seien beide Regime weitgehend gleich. Der Bolschewismus sei eine „kommunistische Diktatur oder ein Linksfascismus", der „Fascismus" dagegen sei eine „konservative Diktatur oder ein Rechtsbolschewismus".[146]

Die Werke Nittis und Sturzos waren von dem deutlich erkennbaren Bestreben geprägt, vor allem die deutschen Gesinnungsgenossen vor dem Faschismus und Nationalsozialismus zu warnen. Sie sollten sich nicht mit ihm verbünden, wie es in Italien viele Konservative, Liberale und Vertreter der Partei der Popolari getan hatten. Doch geblendet von ihrer Furcht vor dem Bolschewismus, ihrem Haß auf die Sieger des Ersten Weltkrieges und ihrer Verachtung der von 'Novemberverbrechern' geschaffenen Republik wollten viele deutsche Konservative und Liberale diese Warnungen nicht hören und sahen in Adolf Hitler den 'Führer' in ein künftiges, mächtiges 'Drittes Reich'.

Es gab aber auch Konservative und Liberale, die zwar nicht unbedingt überzeugte Demokraten waren, wohl aber den Nationalsozialismus scharf ablehnten. Zu ihnen gehörten verschiedene preußische Konservative, die Hitler die Orientierung am Faschismus vorwarfen. Da dieser in einem romanisch-katholischen Land zur Macht gekommen sei, müsse er dem preußisch-protestantischen Wesen fremd bleiben. Hitler sei daher, wie sich Ernst Niekisch ausdrückte, ein „deutsches Verhängnis"[147].

Besonders scharf wurde von verschiedenen deutschen Konservativen und Liberalen der propagandistische Anspruch der Nationalsozialisten zurückgewiesen, die Ideale des deutschen Nationalgedankens und vor allem des 'Preußentums' übernommen zu haben. Tatsächlich gehöre Hitler, wie der Historiker Otto Hintze meinte, „gar nicht zu unserer Rasse", weil „etwas ganz Fremdes an ihm" sei.[148] In den Augen des ehemaligen Nationalsozialisten und

---

[145] Luigi Sturzo, Italien und der Fascismus, Köln 1926; Auszüge in: Nolte (Hrsg.), Theorien, S.221–234.
[146] Sturzo, Italien und der Fascismus; zitiert nach: Nolte (Hrsg.), Theorien, S.225.
[147] Ernst Niekisch, Hitler. Ein deutsches Verhängnis, Berlin 1932.
[148] Der Ausspruch Hintzes ist von Meinecke überliefert; vgl. Friedrich

Danziger Senatspräsidenten Hermann Rauschning war Hitler ein ebenso prinzipien- wie skrupelloser Machiavellist.[149] Seine Bewegung sei eine „Revolution des Nihilismus", die bedeutsame Gemeinsamkeiten mit dem Bolschewismus aufweise. Ähnlich urteilte der katholisch-konservative Publizist Waldemar Gurian.[150] Auch er wies auf die antikonservativen und antinationalen Elemente des Nationalsozialismus hin, der als „demokratischer Cäsarismus" große Ähnlichkeiten sowohl mit dem italienischen Faschismus wie mit dem Bolschewismus habe. Der Historiker und nach eigenem Bekenntnis „Vernunftrepublikaner" Friedrich Meinecke betonte in diesem Zusammenhang, daß Faschismus/Nationalsozialismus und Bolschewismus nicht nur vergleichbare politische Ziele, sondern auch gemeinsame „soziologische Ursachen" hätten.[151]

Diese Beispiele zeigen, daß bereits verschiedene Zeitgenossen aus dem konservativen, liberalen und selbst, wie bereits erwähnt wurde, sozialdemokratischen Lager die sog. Totalitarismustheorie vertraten. Die meisten von ihnen unterließen es jedoch, diese Theorie auch wissenschaftlich zu begründen. Äußerungen von Mussolini, der wiederholt die Errichtung eines „stato totalitario" ankündigte, oder von pronationalsozialistischen deutschen Professoren wie Carl Schmitt, Ernst Forsthoff, Ernst Rudolf Huber u.a., die die Schaffung eines derartigen „totalen Staates" auch in Deutschland forderten, wurden meist als Beweis dafür angesehen, daß die faschistischen Staaten in Italien und Deutschland tatsächlich einen monolithisch-totalitären Charakter hatten. Noch weniger geprüft wurde, ob die 'totalitären' Regime in Italien, Deutschland und Rußland tatsächlich bedeutsame Gemeinsamkeiten aufwiesen.

Meinecke, Autobiographische Schriften (Werke Bd. 8), Stuttgart 1969, S. 383.

[149] Hermann Rauschning, Gespräche mit Hitler, Zürich–New York 1940; ders., Die Revolution des Nihilismus, Zürich–New York 1938.

[150] Waldemar Gurian (unter dem Pseudonym: Walter Gerhart), Um des Reiches Zukunft. Nationale Wiedergeburt oder politische Reaktion? Freiburg i. Br. 1932.

[151] Friedrich Meinecke, Nationalsozialismus und Bürgertum (21.12.1930), in: Friedrich Meinecke, Werke, Bd. 2, S. 441–445. Zu Meineckes Äußerungen über Nationalsozialismus und Faschismus: Wolfgang Wippermann, Friedrich Meineckes 'Die deutsche Katastrophe' – Ein Versuch zur deutschen Vergangenheitsbewältigung, in: Michael Erbe (Hrsg.), Friedrich Meinecke heute, Berlin 1982, S. 101–121.

Insgesamt wird man daher sagen können, daß der Ausdruck 'Totalitarismus' zumindest bis 1945 eher den Charakter eines politischen Kampfbegriffes hatte. Dafür spricht nicht zuletzt die Tatsache, daß die Sowjetunion 1941, als es zum Bündnis mit den Westmächten kam, auch in den Augen von westlichen Politikern und Professoren der Politikwissenschaft nicht mehr als totalitär galt. Nach dem Ende des Zweiten Weltkrieges und nach dem Ausbruch des Kalten Krieges änderte sich das Bild erneut. Jetzt verkörperten neben dem geschlagenen Dritten Reich die Sowjetunion und ihre Satellitenstaaten Erscheinungsformen des Totalitarismus.

Die Tatsache, daß der Totalitarismusbegriff politisch instrumentalisiert wurde (und bis heute noch wird), sagt allein aber noch nicht viel über seine wissenschaftliche Relevanz aus. Hinzu kommt, daß es nicht eine, sondern mehrere Totalitarismustheorien gibt. Hier müssen zunächst einmal die Studien Ernst Fraenkels und Franz Neumanns genannt werden, in denen das Dritte Reich, und zwar nur das Dritte Reich, als totalitär beschrieben und gedeutet wurde.[152] Andere Forscher haben versucht, die Wurzeln und Ursprünge des modernen Totalitarismus in den asiatischen Despotien, dem antiken Sparta oder in den Werken von Theoretikern wie Machiavelli, Rousseau, Robespierre, Hegel etc. zu entdecken.[153] Der Hauptstrang der Totalitarismusforschung ist aber durch das schon erwähnte Bestreben gekennzeichnet, Gemeinsamkeiten zwischen Faschismus/Nationalsozialismus und Bolschewismus zu entdecken. Diese Variante der Totalitarismustheorie ist ohne Zweifel ein Ergebnis der zeitgenössischen Faschismusdiskussion der Konservativen und Liberalen. Daher sollen hier bereits die beiden wichtigsten Vertreter dieser Totalitarismustheorie vorgestellt werden.

Hannah Arendt hat in ihrem, zuerst 1951 erschienenen, Werk ›Elemente und Ursprünge totaler Herrschaft‹ den Antisemitismus und Imperialismus des 19. Jahrhunderts als wichtige Voraussetzungen des modernen Totalitarismus bezeichnet.[154] Der moderne

---

[152] Zu Fraenkel und Neumann vgl. oben Kap. 1.2, S. 40 f.

[153] Karl Popper, Der Zauber Platons, Bern 1957; Eric Voeglin, Wissenschaft, Politik und Gnosis, München 1959; Erwin Faul, Der moderne Machiavellismus, Köln–Berlin 1961; Jacob L. Talmon, Die Ursprünge der totalitären Demokratie, Köln–Opladen 1961.

[154] Hannah Arendt, Elemente und Ursprünge totaler Herrschaft, Frankfurt a. M. 1955 (engl., New York 1951).

Totalitarismus unterscheide sich allerdings zugleich ganz wesentlich von allen früheren oder gegenwärtigen autoritären Diktaturen, weil er die Freiheit nicht nur einschränke, sondern gänzlich abschaffe. Die totalitäre Doktrin biete eine ebenso einfache wie radikale Erklärung der geistigen und sozialen Krise, die durch die Atomisierung und Vermassung der Menschen in den modernen Industriegesellschaften entstanden sei. Verantwortlich seien bestimmte „Rassen" oder „Klassen", die vernichtet werden müßten, um die Krise überwinden zu können. Dies sei nur durch die Verwendung von Terror gegen diese „feindlichen" Klassen (die Bourgeoisie, die Kulaken etc.) oder „Rassen" (die Juden) möglich. Ideologie und Terror seien daher die Hauptcharakteristika der modernen totalitären Staaten, die auch ihren Aufbau prägten. Totalitär in diesem Sinne seien nach Arendt die Sowjetunion und das Dritte Reich, während sie das faschistische Italien als ‘nur’ autoritär einstufte.

Im Unterschied zu Arendt, die eine mehr historisch beschreibende Theorie des Totalitarismus vorlegte, haben Carl-Joachim Friedrich und Zbigniew Brzezinski versucht, ein idealtypisches Modell des Totalitarismus zu konstruieren.[155] Ihrer Meinung nach könnten Staaten dann als totalitär eingestuft werden, wenn sie die folgenden Merkmale aufwiesen: Es müsse (1) eine Ideologie vorhanden sein, die alle Bereiche des menschlichen Lebens umfaßt, einen Endzustand der Menschheit proklamiert und die bestehende Gesellschaft radikal verwirft. Das betreffende Land müsse (2) von einer hierarchisch aufgebauten und von einem Mann geführten Partei regiert werden, der etwa 10 % der Gesamtbevölkerung angehören und die der Bürokratie übergeordnet oder mit ihr verflochten ist. Die Staats- und Parteiführung müsse (3) ein Terrorsystem errichtet haben, das sich sowohl gegen potentielle wie gegen völlig willkürlich ausgewählte ‘feindliche’ Klassen oder Rassen richtet. Sie müsse (4) über ein Waffenmonopol, (5) über ein Nachrichtenmonopol verfügen und müsse schließlich (6) die Wirtschaft einer zentralen Kontrolle unterworfen haben.

Alle sechs Merkmale seien nach der Meinung von Friedrich und Brzezinski sowohl im Dritten Reich wie in der Sowjetunion vorhanden, die daher als die Hauptrepräsentanten des Totalitarismus anzusehen seien. Auf die weitere Entwicklung, Kritik und erneute

---

[155] Carl Joachim Friedrich/Zbigniew Brzezinski, Totalitarian Dictatorship and Autocracy, Cambridge 1956; dt.: Carl Joachim Friedrich, Totalitäre Diktatur, Stuttgart 1957.

Renaissance dieser Totalitarismustheorie, die aus der konservativ-liberalen Faschismusdiskussion der Zwischenkriegszeit hervor-gegangen ist, soll in dem Kapitel über Faschismustheorien in kriti-scher Perspektive eingegangen werden.

2. FASCHISMUSTHEORIEN IN SYSTEMATISCHER PERSPEKTIVE

2.1 Faschismus und Kapitalismus

Wie bereits erwähnt, hält man in den meisten sozialistischen Ländern an der rein instrumentalistischen Definition des Faschismus wie an einem Dogma fest. Danach ist der Faschismus nichts anderes als die „offene terroristische Diktatur der am meisten reaktionären, chauvinistischen und imperialistischen Elemente des Finanzkapitals". Diese Definition wurde im Kern schon auf dem V. Weltkongreß der Komintern von 1924 beschlossen, erhielt auf dem XIII. EKKI-Plenum vom Dezember 1933 ihre endgültige Formulierung und wurde schließlich 1935 auf dem VII. Weltkongreß der Komintern von Georgi Dimitroff ausdrücklich sanktioniert, obwohl gleichzeitig ein fundamentaler Wandel der antifaschistischen Strategie beschlossen wurde. Die instrumentalistische Definition bzw. Theorie des Faschismus diente also zur Legitimation von völlig unterschiedlichen Varianten der antifaschistischen Praxis, einmal der Sozialfaschismusthese, zum anderen der Volksfrontstrategie. Schon dies stellt einen bemerkenswerten Widerspruch zum marxistischen Wissenschaftsverständnis dar, das grundsätzlich eine Einheit und Verbindung von Theorie und Praxis postuliert. Doch darauf soll hier nicht weiter eingegangen werden.

Die, wie ich sie nennen möchte, dogmatisch-marxistischen Faschismustheoretiker innerhalb der Sowjetunion und der DDR haben sich vornehmlich mit der Frage (bzw. Auslegung) beschäftigt, wer die „am meisten reaktionären, chauvinistischen und imperialistischen Elemente des Finanzkapitals" waren, in deren Auftrag eine „offene terroristische Diktatur" errichtet wurde. Sie haben sich dabei fast ausschließlich auf den sog. deutschen Faschismus konzentriert.

Im Vordergrund stand zunächst die, geradezu kriminalistisch anmutende, Suche nach einzelnen Kapitalisten, die persönlich verantwortlich, ja, dingfest gemacht wurden. Einen ebenso exemplarisch wie richtungweisenden Charakter hatte in dieser Hinsicht das Buch des langjährigen Vorsitzenden der SED, Walter Ulbricht, über

den „faschistischen deutschen Imperialismus"[1]. Es erschien zuerst
1945 und wurde dann mehrmals neu aufgelegt. Ulbricht wies folgenden deutschen Kapitalisten die Hauptschuld und Hauptverant-
wortung zu: „Thyssen, dessen Raubvogelgesicht seinen Charakter
treffend wiedergibt", „Krupp, der Patentzünder an eine englische
Rüstungsfirma" verkaufte, v. Borsig, der in ganz Deutschland als
„grimmiger Arbeiterfeind berüchtigt war" und schließlich Dierig,
dessen „Namen jeden deutschen Arbeiter an die grausame Ausbeu-
tung der schlesischen Weber und an den Weberaufstand von 1844
erinnert". Diese „Kriegsgewinnler" hätten Hitler beauftragt, das
alte „imperialistische Eroberungsprogramm der deutschen Schwer-
industriellen zeitgemäß" zu entwickeln.[2] Hitler habe sich diesen
„Hochverrätern an den nationalen Interessen des deutschen Volkes"
mit „Haut und Haaren verkauft". Die „plutokratischen Führer der
großen Konzerne" hätten vom „ersten Tage der Hitlerherrschaft an
die ganze deutsche Wirtschaft kommandiert und über die Staatsführung bestimmt", denn, „wer die Banken und die Großindustrie be-
sitzt, der bestimmt auch im Staat".[3]
Der Faschismus erscheint in dieser Sicht, wie der westdeutsche
Historiker Eike Hennig zu Recht kritisiert, als „monokausaler
Kaufakt",[4] wobei eben einzelne Industrielle und Bankiers persönlich haftbar gemacht werden. In den 60er Jahren ist dieser rein perso-
nalistische Ansatz jedoch von der sog. Monopolgruppentheorie abge-
löst worden.[5]

---

[1] Walter Ulbricht, Der faschistische deutsche Imperialismus 1933 bis
1945, Berlin ⁴1956 (zuerst unter dem Titel ›Die Legende vom 'deutschen
Sozialismus'‹, Berlin 1945).
[2] A. a. O. S. 13–20.
[3] A. a. O. S. 39 und 65 f.
[4] Eike Hennig, Industrie und Faschismus. Anmerkungen zur sowjetischen Interpretation, in: Neue Politische Literatur 1970, S. 432–449, S. 439.
Zum folgenden: ders., Thesen zur deutschen Sozial- und Wirtschaftsgeschichte 1933–1938, Frankfurt a. M. 1974; ders., Bürgerliche Gesellschaft
und Faschismus in Deutschland, Frankfurt a. M. 1977.
[5] Dazu unter anderem: Jürgen Kuczynski, Die Barbarei – extremster
Ausdruck der Monopolherrschaft in Deutschland, in: Zeitschrift für Geschichtswissenschaft 1961, S. 168–193; Dietrich Eichholtz, Probleme einer
Wirtschaftsgeschichte des Faschismus in Deutschland, in: Jahrbuch für
Wirtschaftsgeschichte 1963, T. 3, S. 97–127; Eberhard Czichon, Der Primat
der Industrie im Kartell der nationalsozialistischen Macht, in: Das Argument 47, 1968, S. 168–193; Dietrich Eichholtz/Kurt Gossweiler, Noch

Nach dieser Theorie ist das Dritte Reich Produkt und Erscheinungsform des staatsmonopolistischen Kapitalismus. In diesem Stadium in der Entwicklung des Kapitalismus übernimmt der Staat eine neue, qualitativ veränderte Rolle, indem er in alle Bereiche des gesellschaftlichen Lebens, also auch in die Wirtschaft regulierend eingreift, wobei aber die Herrschaft des Finanzkapitals selber unangetastet bleibt, weil die staatlichen Eingriffe nur Macht und Profit der Finanzoligarchie sichern und erweitern. Als Ergebnis der wachsenden Konzentration und der Monopolisierung habe sich in Deutschland ein „Finanz- und Industriekomplex als Führungsgruppe im Oligopol etabliert". Um die Führung in diesem Oligopol würden aber nach der Meinung der diese Theorie verfechtenden DDR-Historiker immer wieder Konkurrenzkämpfe entbrennen. Die Kohle/Eisen/Stahl-Gruppe, die sich in den sechziger Jahren des 19. Jahrhunderts gegen das bis dahin dominierende Textil/Handels-Kapital durchsetzen konnte, habe in der weltmarktbeherrschenden Chemie/Elektro-Gruppe einen starken Konkurrenten erhalten, der sich jedoch im Ersten Weltkrieg mit seinen gemäßigteren Kriegszielen noch nicht habe durchsetzen können. Doch 1918 habe sich die Chemie/Elektro-Gruppe mit ihrer „wendig parlamentarischen Linie" gegenüber der „abenteuerlich-militaristischen" Taktik der Kohle/Eisen/Stahl-Gruppe durchsetzen können, da es ihr gelungen sei, die SPD als Bündnispartner zur Aufrechterhaltung des gesellschaftlichen Status quo zu gewinnen. Als jedoch in der Weltwirtschaftskrise die Kohle/Eisen/Stahl-Gruppe so stark getroffen wurde, daß das gesamtwirtschaftliche Gleichgewicht in Gefahr geriet, insbesondere auch weil die KPD eine konsequente und auch erfolgreiche revolutionäre Politik betrieben habe, sei es zu einem Kompromiß zwischen diesen beiden Monopolgruppen gekommen. Der politische Verfall der Weimarer Republik wird dabei als ein Faschisierungsprozeß bezeichnet, wobei „wie bei einem Stafettenlauf" der Stab immer an den noch „reaktionäreren und brutaleren Beauftragten des deutschen Monopolkapitals" abgegeben worden sei.

In den letzten Jahren haben verschiedene Wirtschaftshistoriker der DDR, genannt werden muß vor allem Dietrich Eichholtz, darauf aufmerksam gemacht, daß es unterhalb der Monopolgruppen Kohle/Eisen/Stahl und Chemie/Elektro noch andere sog. „staatsmonopo-

einmal: Politik und Wirtschaft 1933–1945, in: Das Argument 47, 1968, S. 210–227.

listische Gruppierungen" gebe, die ebenfalls regulierend in die Wirtschaft eingegriffen hätten.[6] Bei diesen „staatsmonopolistischen Gruppierungen" handele es sich sowohl um privatwirtschaftliche wie staatliche Institutionen, die sich zu einem Interessenbündnis zusammengeschlossen hätten, um sich gegenüber Konkurrenten sowohl innerhalb der Wirtschaft wie innerhalb des Staatsapparates, der nationalsozialistischen Partei und des Militärs durchzusetzen. Als wichtigstes Beispiel wird in diesem Zusammenhang vor allem der IG-Farben-Komplex genannt, der tatsächlich mit Institutionen des nationalsozialistischen Staates eng verbunden, ja, verflochten war. Besonders bekannt und berüchtigt sind die in enger Zusammenarbeit mit der SS von den IG Farben in Auschwitz-Monowitz errichteten Fabriken, in denen die von der SS ausgeliehenen Häftlinge Zwangsarbeit verrichten mußten.

Die Thesen der DDR-Historiker über das Verhältnis von Faschismus und Kapitalismus in Deutschland werden von der sog. bürgerlichen Forschung weitgehend abgelehnt. Dies gilt vor allem für die Beurteilung des Verhältnisses zwischen Industrie und NSDAP bis zur Machtergreifung. Hier war es vor allem der amerikanische Historiker Henry Ashby Turner, der die Behauptung zurückwies, die NSDAP habe von seiten der Industrie bedeutende finanzielle Unterstützung erhalten.[7]

Die NSDAP habe ihren aufwendigen Partei- und Propagandaapparat überwiegend mit Mitgliedsbeiträgen und mit Eintrittsgeldern finanziert, die für den Besuch von nationalsozialistischen Propagandaveranstaltungen zu entrichten waren. Spenden habe die Partei weit mehr von der Klein- und Mittelindustrie als von den Großunternehmen erhalten. Die wenigen Industriellen, die die NSDAP unterstützten, hätten dies im weit größeren Maße auch für

---

[6] Dietrich Eichholtz, Geschichte der deutschen Kriegswirtschaft 1939–1945, Bd. 1: 1939–1941, Berlin 1969. – In dem inzwischen erschienenen 2. Band von Eichholtz wird dies nicht mehr so betont. Weitgehend abgelehnt werden nach wie vor die im folgenden erwähnten Thesen westlicher Forscher über den 'polykratischen' Charakter des Dritten Reiches im allgemeinen, seiner Wirtschaftspolitik im besonderen.

[7] Zuerst in der Aufsatzsammlung: Henry Ashby Turner, Faschismus und Kapitalismus in Deutschland, Göttingen 1972; dann in dem dickleibigen Werk: Henry Ashby Turner, Die Großunternehmer und der Aufstieg Hitlers, Berlin 1985. – Ferner: Horst Matzerath/Henry Ashby Turner, Die Selbstfinanzierung der NSDAP 1930–1932, in: Geschichte und Gesellschaft 3, 1977, S. 93–108.

die anderen Parteien getan. Außerdem gelang es Turner, einige der in diesem Zusammenhang immer wieder vorgebrachten Behauptungen als Legenden zu entlarven. So hätten die immer wieder genannten Industriellen Hugenberg und Kirdorf nicht die NSDAP, sondern die DNVP unterstützt. Kirdorf, von dem behauptet werde, daß er Mitglied der NSDAP gewesen sei, habe tatsächlich von 1928 bis 1934 der DNVP angehört. Thyssen habe das so entlarvende Buch ›I paid Hitler‹ nicht selber geschrieben, ja, das Manuskript dazu zum großen Teil noch nicht einmal gesehen. Die Behauptung, daß die Zechenherren des Ruhrgebietes 5 Pfennig pro verkaufte Tonne Kohle der NSDAP gespendet hätten, sei schlichtweg falsch, etc.

Doch auch Turner kann und will nicht leugnen, daß die Industriellen und vor allen Dingen die in dieser Hinsicht noch wichtigeren Agrarier den Aufstieg der NSDAP zumindest indirekt gefördert haben, weil sie die Weimarer Republik ablehnten und ihre wichtigsten Träger – die SPD und die reformistischen Gewerkschaften – erbittert bekämpften. Außerdem spricht zumindest viel für die Vermutung von Historikern wie Dirk Stegmann und anderen, daß wichtige industrielle und agrarische Kreise durch direkte und indirekte Einflußnahme auf die politischen Entscheidungsträger den Boden für die Kanzlerschaft Hitlers vorbereitet haben.[8] In der Endphase der Weimarer Republik haben sich einige der unter sich sehr zerstrittenen Kapitalfraktionen vehement und schließlich auch erfolgreich für die Ernennung Hitlers zum Reichskanzler eingesetzt. Ein wesentliches Motiv war dabei die Ablehnung der Politik des Reichskanzlers von Schleicher, der zwar ebenfalls einen undemokratisch-autoritären Kurs verfolgte, zugleich aber einen Ausgleich mit Teilen der (reformistischen) Arbeiterbewegung und der NSDAP (Strasser-Flügel) anstrebte.

[8] Dirk Stegmann, Zum Verhältnis von Großindustrie und Nationalsozialismus 1930–1933, in: Archiv für Sozialgeschichte 13, 1973, S. 399–482; ders., Antiquierte Personalisierung oder sozialökonomische Faschismus-Analyse? Eine Antwort auf H. A. Turners Kritik an meinen Thesen zum Verhältnis von Nationalsozialismus und Großindustrie vor 1933, in: Archiv für Sozialgeschichte 17, 1977, S. 275–296. Gute Zusammenfassung dieser Kontroverse in: Eberhard Kolb, Die Weimarer Republik, München 1984, S. 212 ff. Zum folgenden vor allem: Reinhard Neebe, Großindustrie, Staat und NSDAP 1930–1933, Göttingen 1981; Hans Mommsen (Hrsg.), Industrielles System und politische Entwicklung in der Weimarer Republik, Düsseldorf 1974.

Auch im Hinblick auf das Verhältnis zwischen Industrie und na-
tionalsozialistischem Regime sind die Unterschiede und Gegensätze
zwischen der sog. bürgerlichen und marxistischen Wissenschaft
groß und scheinen unüberwindbar zu sein. Durch die Erkenntnis,
daß das Dritte Reich keineswegs so monolithisch geschlossen war,
wie vielfach angenommen worden ist, sondern statt dessen durch
vielfache Kompetenzkonflikte gekennzeichnet war, gerät die
schroffe Gegenüberstellung – Primat der Politik oder Primat der
Ökonomie – jedoch ins Wanken.[9] Hinzu kommt die Beobachtung,
daß sich das Machtverhältnis zwischen Partei, Bürokratie, Wehrmacht und Industrie im Laufe der Zeit veränderte. Dies veranlaßte
den amerikanischen Wirtschaftshistoriker Arthur Schweitzer, zwischen zwei Phasen in der Geschichte des deutschen Faschismus zu
differenzieren.[10] Da bis 1936 Wehrmacht und Großindustrie noch
über eine zumindest relative Autonomie verfügt hätten, sei diese
Phase durch die Existenz eines „partial fascism" gekennzeichnet.
Erst nach 1936 sei es der Partei gelungen, sich auch gegenüber der
Wehrmacht und vor allen Dingen der Industrie durchzusetzen und
einen "full fascism" durchzusetzen.

Der westdeutsche Wirtschaftshistoriker Dieter Petzina hat an
dieser Differenzierung sowie an Ernst Fraenkels Theorie vom Doppelstaat angeknüpft und folgendes Bild des Verhältnisses zwischen
„Faschismus" und „Kapitalismus" im Dritten Reich gezeichnet.[11]

---

[9] Allgemein dazu: Peter Hüttenberger, Nationalsozialistische Polykratie, in: Geschichte und Gesellschaft 2, 1976, S. 417–442. Ferner die
Arbeiten von: Hans Mommsen, Beamtentum im Dritten Reich, Stuttgart
1967; Peter Diehl-Thiele, Partei und Staat im Dritten Reich, München 1969;
Reinhard Bollmus, Das Amt Rosenberg und seine Gegner, Stuttgart 1970;
Peter Hüttenberger, Die Gauleiter. Studie zum Wandel des Machtgefüges in
der NSDAP, Stuttgart 1969 etc. Zusammenfassung dieser Deutungen in:
Klaus Hildebrand, Das Dritte Reich, München–Wien 1969, S. 147 ff. Hef-
tige und kontroverse Diskussion dieser Fragen in: Gerhard Hirschfeld/
Lothar Kettenacker (Hrsg.), Der 'Führerstaat': Mythos und Realität. Studien zur Struktur und Politik des Dritten Reiches, Stuttgart 1981.
[10] Arthur Schweitzer, Big Business in the Third Reich, Bloomington/
Ind. 1964.
[11] Zusammenfassend in: Dietmar Petzina, Die deutsche Wirtschaft in
der Zwischenkriegszeit, Wiesbaden 1977. Vgl. auch: ders., Autarkiepolitik
im Dritten Reich. Der nationalsozialistische Vierjahresplan, Stuttgart 1968.
– Eine andere Argumentation dagegen bei: Timothy Mason, Sozialpolitik
im Dritten Reich, Opladen 1977. Mason betont, daß die Sozial- und Wirt-

Bis 1936 hätten die Großbanken und die Großindustrie ihre Position als „wichtige eigenständige Herrschaftsträger" neben der Partei behaupten können. Ein Teil der deutschen Wirtschaft habe sich nämlich wie die Wehrmacht mit der nationalsozialistischen Führung verbunden, da die Militarisierung und die wirtschaftlichen Kriegsvorbereitungen ihren Zielen entsprochen hätten. Die Parteioligarchie habe dafür auf die Verwirklichung ihrer antikapitalistischen Parolen verzichtet. Industrielle und staatliche Bereiche seien dadurch personell und sachlich verschmolzen. Der „Staat" sei von seiten des Regimes und von seiten der Großunternehmer zersetzt und von einzelnen Machtgruppen usurpiert worden. So sei ein Nebeneinander von Staatsbürokratie, Sonderinstanzen und privaten Apparaten entstanden.

Es scheint durchaus möglich, daß es zu einer gewissen Annäherung zwischen 'bürgerlichen' Historikern, die das Verhältnis zwischen Industrie und Nationalsozialismus im Rahmen und unter Anwendung der Polykratie-These analysieren, und marxistischen Historikern kommt, die von der Existenz bestimmter 'staatsmonopolistischer Gruppierungen' ausgehen. Grundsätzliche und verallgemeinerbare Aussagen über das Verhältnis zwischen dem Faschismus und dem Kapitalismus sind jedoch von dieser Debatte nicht zu erwarten, weil sie sich eben allein auf die Situation im hochindustrialisierten Deutschland konzentriert hat. Starke und schwache faschistische Bewegungen gab es jedoch sowohl in hochindustrialisierten wie überwiegend agrarisch geprägten Ländern. Marxistische Theoretiker sind daher nicht in der Lage, anzugeben, in welchem Stadium der Entwicklung des Kapitalismus faschistische Bewegungen die Chance haben, eine Massenbasis zu erreichen oder gar die Macht zu ergreifen. Da sie sich bisher nahezu ausschließlich mit dem sog. deutschen Faschismus beschäftigt und auf eine vergleichende Faschismusforschung verzichtet haben, können gerade die Historiker der DDR diese doch entscheidende Frage nicht beantworten.[12]

---

schaftspolitik des Dritten Reiches auch von dem Bestreben der Staatsführung bestimmt gewesen war, mögliche (!) Proteste der Arbeiterschaft unbedingt (d. h. also auch mit sozialpolitischem Entgegenkommen) zu verhindern.

[12] Erst in jüngster Zeit hat man von seiten der Historiker der DDR die Notwendigkeit erkannt, derartige vergleichende Studien zu betreiben. Vgl.: Dietrich Eichholtz/Kurt Goßweiler (Hrsg.), Faschismusforschung. Positionen, Probleme, Polemik, Berlin 1980, S. 15. Ansatzweise auch in:

Notwendig wäre ferner die Bereitschaft, anzuerkennen, daß das Wesen des Faschismus nicht allein durch seine prokapitalistische soziale Funktion geprägt wird und daß der Faschismus durch eine zumindest relative politische Autonomie gekennzeichnet ist.

Anders formuliert heißt dies, daß die Frage nach dem Verhältnis zwischen Faschismus (bzw. den Faschismen) und Kapitalismus (bzw. der Industrie und Landwirtschaft) zweifellos wichtig ist. Ihre Beantwortung kann aber nicht alle Probleme lösen und das Wesen 'des' Faschismus klären.

2.2 Faschismus und Bonapartismus

Die Versuche von verschiedenen sozialdemokratischen Autoren und von August Thalheimer, mit Hilfe der Bonapartismustheorie von Marx und Engels Wesen und Funktion des Faschismus zu erklären, sind bereits ausführlich dargestellt worden. Die Theoreme vom Gleichgewicht der Klassenkräfte und von der – partiellen und partikularen – Verselbständigung der Exekutive sind m. E. nicht nur dazu geeignet, den Prozeß der Machtergreifung und Machtfestigung des Faschismus in Italien und Deutschland zu beschreiben, sondern gleichzeitig auch, die Unterschiede zwischen dem italienischen und deutschen Faschismus zu erklären.[13]

Beide Faschismen kamen in der Situation einer Krise und eines gewissen Gleichgewichts zwischen den bürgerlichen und proletarischen Parteien zur Macht, wobei sich einflußreiche Kreise innerhalb der Industrie, der Landwirtschaft, des Militärs, der Bürokratie und der bürgerlichen Parteien bereit zeigten, mit der faschistischen Partei ein Bündnis abzuschließen. Gemeinsames Ziel der Bündnispartner war es, durch einen Lohnstopp, die Zerschlagung der Organisationen der Arbeiterbewegung, durch Arbeitsbeschaffungsmaßnahmen und/oder durch Aufrüstung und Krieg die Krise zu

---

Deutschland im Zweiten Weltkrieg. Von einem Autorenkollektiv, Bd. 1–6, Berlin 1978–1985.

[13] Vgl. dazu oben Kap. 1.2. Besonders wichtig scheinen mir in diesem Zusammenhang die Thesen Gurlands, Hilferdings und Gramscis zu sein. Vgl. zum folgenden das Kapitel ›Bonapartismustheoretische Momente in der Auseinandersetzung mit den Problemen des Faschismus, Totalitarismus und Populismus‹, in: Wolfgang Wippermann, Die Bonapartismustheorie von Marx und Engels, Stuttgart 1983, S. 201 ff.

überwinden. Im Besitz der Exekutive und gestützt auf ihre Massen-organisationen konnte sich jedoch die faschistische Partei mehr und mehr gegenüber ihren Bündnispartnern verselbständigen. Diese Verselbständigung ging im nationalsozialistischen Deutschland weiter als im faschistischen Italien. Daher war der Nationalsozia-lismus in der Lage, eine Außen- und Rassenpolitik zu betreiben, die zum Teil gegen die ökonomischen und sozialen Interessen seiner Bündnispartner innerhalb der Wirtschaft, der Bürokratie und des Militärs verstieß. Das unterschiedliche Ausmaß der Verselbständi-gung kann sowohl die unterschiedliche Radikalität wie die ebenfalls unterschiedlichen Chancen für den Sturz des deutschen und des italienischen Faschismus erklären.

Diese hier nur sehr knapp angesprochene Beschreibung und Deu-tung des Prozesses der faschistischen Machtergreifung und Macht-festigung in Italien und Deutschland müßte jedoch in weiteren, de-taillierteren Studien näher ausgeführt werden. Dies ist, sieht man von einigen Ausnahmen ab,[14] innerhalb der neueren vergleichenden

---

[14] Vgl.: Jost Dülffer, Bonapartismus, Fascism and National Socialism, in: Journal of Contemporary History 11, 1976, S. 109–128; Wolfgang Wip-permann, Europäischer Faschismus im Vergleich, Frankfurt a. M. 1983, S. 22–79 und S. 197 ff.; Luisa Mangoni, Per una definitione del Fascismo i concetti die Bonapartismus e Cesarismus, in: Rivista Italiana Contempor-anea 135, 1979, S. 18–52; Axel Kuhn, Das faschistische Herrschaftssystem und die moderne Gesellschaft, Hamburg 1973. Mit scharfer Kritik an einigen neomarxistischen Versuchen: Heinrich August Winkler, Revolu-tion, Staat, Faschismus. Zur Revision des Historischen Materialismus, Göt-tingen 1978, S. 65–117. Ein interessanter Versuch, 'Hitlers Herrschaft' mit Hilfe der Bonapartismustheorie zu erklären bei: Eberhard Jäckel, Hitlers Herrschaft. Vollzug einer Weltanschauung, Stuttgart 1986, S. 139 ff.; ders., Hitlers Weltanschauung. Entwurf einer Herrschaft. Erweiterte und überar-beitete Neuausgabe, Stuttgart 1981, S. 137 ff. Sehr bemerkenswert ist der Versuch des ungarischen Historikers Miklós Lackó, die Bonapartismus-theorie zur Erklärung des südosteuropäischen Faschismus anzuwenden; vgl. Miklós Lackó, Zur Frage der Besonderheiten des südosteuropäischen Faschismus, in: Fascism and Europa. An International Symposium, Bd. 2, Prag 1970, S. 1–22; in leicht veränderter Form abgedruckt unter dem Titel ›Ostmitteleuropäischer Faschismus. Ein Beitrag zur allgemeinen Faschis-mus-Definition‹, in: Vierteljahreshefte für Zeitgeschichte 21, 1973, S. 39–51. Dies ist deshalb bemerkenswert, weil, wie schon angedeutet, kommunisti-sche Faschismustheoretiker die Verwendung der Bonapartismustheorie scharf abgelehnt haben. Vgl. etwa: Palmiro Togliatti, Lektionen über den

Faschismusforschung leider versäumt worden. Dennoch scheint mir persönlich gerade dieser Weg besonders lohnend und erfolgversprechend zu sein.

Mit Hilfe der Bonapartismustheorie könnte ferner die Frage beantwortet werden, warum faschistische Bewegungen auch in sozioökonomisch ähnlich strukturierten Ländern sehr unterschiedliche Entwicklungschancen hatten. Sie scheinen in den Ländern besonders günstig gewesen zu sein, in denen es im 19. Jahrhundert Regime und Parteien gegeben hat, die von Zeitgenossen, darunter Marx und Engels, und späteren Forschern als bonapartistisch eingestuft worden sind. Dies trifft sowohl auf Frankreich wie auf Deutschland zu. Gibt es daher realgeschichtliche Kontinuitäten zwischen dem Bonapartismus des 19. und dem Faschismus des 20. Jahrhunderts? Kann man vor allem in Hinblick auf Deutschland von einer derartigen 'bonapartistisch-faschistischen Kontinuität' sprechen?[15]

Verschiedene Historiker meinen, daß die Revolution von 1848 nicht nur in Frankreich, sondern auch in Deutschland zu einem „Gleichgewicht der Klassenkräfte" geführt habe. Das Bürgertum habe hier ebenfalls aus Angst vor der sozialen Revolution darauf verzichtet, die politische Macht zu erringen und statt dessen bei den konservativen Kräften innerhalb des Staatsapparates und der Armee Schutz gesucht. Bismarck habe, folgen wir dieser Argumentation, diese Gleichgewichtssituation ausnützen, eine weitgehend verselbständigte Stellung erringen und Preußen/Deutschland dann mit „bonapartistischen" Methoden regieren können.

Gegen die Charakterisierung des deutschen Kaiserreiches als „bonapartistisch" spricht jedoch einmal, daß in Preußen/Deutschland eine „Verselbständigung der Exekutive" nicht stattfand, ja, gar nicht stattfinden konnte, weil hier der Staatsapparat seine weitgehend selbständige Stellung niemals verloren hat. Anders als in Frankreich gab es in Preußen/Deutschland keine erfolgreiche Revolution, durch die die Macht des Staates erschüttert worden wäre. Hinzu kommt, daß sich die Stellung des 'preußisch-deutschen Bonapartes', Bismarck, wesentlich von der des Präsidenten und späteren Kaisers Napoleon III. unterschied. Bismarck war letztlich

Faschismus, Frankfurt a. M. 1973, S. 9; und: Gerhard Lozek/Rolf Richter, Legende oder Rechtfertigung? Zur Kritik der Faschismustheorien in der bürgerlichen Gesellschaft, Berlin S. 35 ff.

[15] Zum folgenden: Wippermann, Die Bonapartismustheorie, S. 86–111.

vom Vertrauen seines Monarchen abhängig und hat es weder vermocht noch gewollt, die politische Macht der Armeeführung zu brechen.

Bleibt die Frage, ob Bismarck nach dem Vorbild Napoleons III. 'bonapartistische' Herrschaftsmethoden verwandt hat und ob diese erfolgreich waren.[16] Auf den ersten Blick wird man diese Frage bejahen müssen. Bismarck hat es tatsächlich verstanden, durch die Verwendung von sowohl integrativen wie repressiven Methoden seine innenpolitischen Gegner nachhaltig zu schwächen. Besonders erfolgreich war sein Bestreben, durch die Erringung von Erfolgen im außenpolitischen Bereich innenpolitische Probleme zu überwinden oder zumindest von ihnen abzulenken. Mit dem Hinweis auf die siegreich beendeten sog. 'Einigungskriege' gegen Dänemark (1864), Österreich (1866) und schließlich gegen Frankreich (1870/71) brach er die Opposition der Liberalen gegen seine verfassungswidrige Politik. Mit großer Mehrheit billigten die Liberalen schon 1866 die Tatsache, daß Bismarck seit seinem Amtsantritt im Jahr 1862 das Budgetrecht des Parlaments mißachtet und damit die Verfassung gebrochen hatte.

Doch Bismarcks Methode, von inneren Problemen durch den Hinweis auf außenpolitische Erfolge oder Bedrohungen abzulenken, verlor in der Folgezeit an Wirksamkeit. Hinzu kam, daß sich die von Bismarck und seinen Nachfolgern geschürte chauvinistische Stimmung in weiten Kreisen der Bevölkerung bald nicht mehr kontrollieren und instrumentalisieren ließ.

Ähnlich war es mit seiner Kampagne gegen die sog. 'Reichsfeinde', d.h. gegen Katholiken, Sozialdemokraten und die Angehörigen der polnischen, dänischen und französischen (Elsaß-Lothringen) Minderheiten im deutschen Kaiserreich. Ziel war dabei, der Bevölkerung zu suggerieren, daß es angesichts der von den 'Reichsfeinden' ausgehenden Gefahren notwendig sei, fest zusammenzustehen und alle Streitigkeiten und kritischen Bemerkungen beizulegen bzw. zu unterdrücken. Doch die auf diese Weise angestrebte „negative Integration" der Mehrheit war nur durch die zunehmende

---

[16] Diese These hat vor allem Hans-Ulrich Wehler in verschiedenen Arbeiten vertreten und m. E. auch begründet. Vgl.: Hans-Ulrich Wehler, Krisenherde des Kaiserreiches 1871–1918. Studien zur deutschen Sozial- und Verfassungsgeschichte, Göttingen 1970; ders., Das Deutsche Kaiserreich, Göttingen 1975; ders., Kritik und kritische Kritik, in: Historische Zeitschrift 225, 1977, S. 346–384.

Diskriminierung der Minderheiten erreichbar. Die Folge war, daß die Opposition dieser Minderheiten wuchs. Die sozialdemokratischen 'Reichsfeinde' konnten weder durch Maßnahmen integrativer Art (Sozialgesetzgebung) noch repressiver Art (Sozialistengesetze) pazifiziert werden. Immer größer werdende Teile der polnischen Minderheit schließlich wandten sich immer offener gegen den preußisch-deutschen Staat und forderten die Wiedererrichtung eines polnischen Staates. Kurz – die Methode der „negativen Integration" führte mehr und mehr statt zu integrierenden zu desintegrierenden Resultaten.

Hinzu kam ein weiteres, sehr wichtiges Moment. Die von der Reichsführung selber geschürten nationalistischen, antisozialistischen, antipolnischen und teilweise sogar antisemitischen Ressentiments wurden von antiparlamentarischen Massenverbänden wie den Alldeutschen, dem Bund der Landwirte und den Ostmarken-, Kolonial- und Flottenvereinen aufgegriffen und zusätzlich geschürt.[17] Durch ihre Agitation wurde der Kampf gegen die 'Reichsfeinde' noch verschärft. Im außenpolitischen Bereich rief die lautstarke Agitation für den Ausbau einer noch stärkeren Flotte, die Gewinnung weiterer Kolonien und die Errichtung eines Reiches, dem möglichst alle Deutschen angehören sollten, Verstimmungen und Proteste selbst bei den Bündnispartnern Österreich und Rußland hervor. Insofern trug die Politik dieser antiparlamentarischen Massenverbände gewollt und nichtgewollt zu einer Unterhöhlung und Schwächung der Machtstrukturen des Kaiserreiches bei.

Insgesamt ist festzustellen, daß die 'bonapartistische' Herrschaftspraxis Bismarcks und seiner Nachfolger den Untergang des Kaiserreiches nicht verhindert hat.[18] Auf lange Sicht hat sie den Auf-

---

[17] Mit ganz dezidierter Betonung der Kontinuität: Hans-Jürgen Puhle, Von der Agrarkrise zum Präfaschismus. Thesen zum Stellenwert der agrarischen Interessenverbände in der deutschen Politik am Ende des 19. Jahrhunderts, Wiesbaden 1972; ders., Agrarische Interessenpolitik und preußischer Konservativismus im wilhelminischen Reich 1893–1914, Hannover 1966; Adam Galos u. a., Die Hakatisten. Der deutsche Ostmarkenverein 1894–1934, Berlin 1966; Dirk Stegmann, Die Erben Bismarcks. Parteien und Verbände in der Spätphase des Wilhelminischen Deutschland, Köln–Berlin 1970; ders., Zwischen Repression und Manipulation: Konservative Machteliten und Arbeiter- und Angestelltenbewegung 1910–1918. Ein Beitrag zur Vorgeschichte der DAP/NSDAP, in: Archiv für Sozialgeschichte 12, 1972, S. 351–432.

[18] Dazu mit verschiedenen Hinweisen vor allem: Michael Stürmer,

stieg Hitlers gefördert. Durch Bismarcks Politik sind die Machtpositionen der konservativ-agrarischen Kräfte bewahrt und gestärkt
worden.[19] Die Revolution von 1918/19 hat daran wenig geändert.
Daher waren diese Kreise in der Lage, eine nachhaltige Demokrati-
sierung der Weimarer Republik zu verhindern sowie den Aufstieg
und die Machtergreifung Hitlers zu fördern. Insofern gibt es eine
zumindest indirekte Kontinuität zwischen Bismarck und Hitler.
Direkte Kontinuitäten im ideologischen und selbst personellen Bereich bestehen dagegen zwischen den antiparlamentarischen Massenverbänden des Kaiserreiches und der NSDAP. All dies spricht für
die eingangs erwähnte These von der 'bonapartistisch-faschistischen Kontinuität' in Deutschland. Dies sollte im Rahmen einer
umfassenden vergleichenden Faschismusforschung beachtet werden.[20]

Bismarckstaat und Cäsarismus, in: Der Staat 12, 1973, S. 467–498; ders.,
Regierung und Reichstag im Bismarckstaat 1871–1880. Cäsarismus oder
Parlamentarismus, Düsseldorf 1974; ders., Das ruhelose Reich. Deutsch-
land 1866–1918, Berlin 1983, bes. S. 114 ff.

[19] So neben Wehler vor allem der DDR-Historiker Ernst Engelberg.
Vgl.: Ernst Engelberg, Zur Entstehung und historischen Stellung des preußisch-deutschen Bonapartismus, in: Beiträge zum neuen Geschichtsbild.
Festschrift A. Meusel, Berlin 1956, S. 236–251; ders., Über die Revolution
von oben. Wirklichkeit und Begriff, in: Zeitschrift für Geschichtswissenschaft 22, 1974, S. 1183–1212; ders., Bismarck. Urpreuße und Reichs-
gründer, Berlin 1985, bes. S. 751 ff. Unterschiedliche Ansichten zu dieser
Frage wurden von den Teilnehmern eines Historiker-Kolloquiums vertreten. Vgl.: Karl Hammer/Peter-Claus Hartmann (Hrsg.), Der Bonapartismus. Historisches Phänomen und politischer Mythos, München 1976.
Mit scharfer Kritik sowohl an Engelberg wie Wehler: Lothar Gall, Bismarck und der Bonapartismus, in: Historische Zeitschrift 223, 1976, S. 618–
637.

[20] Vgl. dazu die in Anmerkungen 13 und 14 genannten Arbeiten. Sehr anregend auch der Versuch des französischen Politikwissenschaftlers Alain
Rouquié, die 'bonapartistische Hypothese' im Rahmen einer allgemeinen
Regimelehre fruchtbar zu machen. Vgl.: Alain Rouquié, L'hypothese 'bona-
partiste' e l'emergence des systemes politiques semicompetitifs, in: Revue
française de science politique 25, 1975, S. 1077–1110.

2.3 Faschismus und Mittelstand

Auch die sog. Mittelstandstheorie ist bereits innerhalb der zeitgenössischen Faschismusdiskussion entwickelt worden. Während einige deutsche Sozialdemokraten wie Theodor Geiger und Svend Riemer darauf hinwiesen, daß sich die Anhänger und Wähler der NSDAP vor allem aus dem „alten" und „neuen Mittelstand" rekrutierten,[21] haben italienische Theoretiker wie Luigi Salvatorelli und Mario Missiroli im (italienischen) Faschismus geradezu die Partei des Mittelstands bzw. des Kleinbürgertums sehen wollen[22]. Der Faschismus führe im Auftrag dieses Kleinbürgertums einen Klassenkampf sowohl gegen das Proletariat wie gegen das Bürgertum.

Diese These ist nach 1945 von dem amerikanischen Soziologen Seymour Martin Lipset aufgegriffen worden.[23] Lipset ging von der Kritik der unreflektierten Verwendung der Begriffe 'links' und 'rechts' innerhalb der historisch-politischen Diskussion aus. Damit werde suggeriert, daß extremistische Bewegungen nur auf der Linken und Rechten des politischen Spektrums entstehen könnten. Tatsächlich gebe es auch einen „Extremismus der Mitte". Dazu zählte Lipset den italienischen Faschismus und den deutschen Nationalsozialismus, weil diese Bewegungen und Regime von den Mittelschichten repräsentiert würden. Wie Lipset jedoch selber einräumte, stimmt die Wirklichkeit nicht mit seinem idealtypischen Modell überein. Der Nationalsozialismus sei nämlich auch von Konservativen unterstützt worden, während der faschistische Staat in Italien von einer Koalition der „extremistischen Mittelklasse" und der Konservativen gebildet worden sei.

Der entscheidende Einwand gegen Lipsets Theorie ist jedoch die Tatsache, daß der Einfluß der Mittelschichten auf die Politik der

---

[21] Vgl. dazu oben Kap. 1.2, S. 35 f. Allgemein zum Begriff 'Mittelstand': Theodor Geiger, Die soziale Schichtung des deutschen Volkes, Nachdruck Darmstadt 1967.

[22] Vgl. dazu oben Kap. 1.4, S. 52. Dazu mit weiteren Hinweisen: Renzo De Felice, Die Deutungen des Faschismus, Göttingen 1980 (ital. 1969), S. 160 ff.

[23] Seymour Martin Lipset, Der 'Faschismus', die Linke, die Rechte und die Mitte, in: Kölner Zeitschrift für Soziologie und Sozialpsychologie 11, 1959, 401–444; abgedruckt in: Nolte (Hrsg.), Theorien über den Faschismus, S. 449–491. Zur Kritik der Thesen Lipsets: Heinrich August Winkler, Extremismus der Mitte? In: Vierteljahreshefte für Zeitgeschichte 20, 1972, S. 175–191.

etablierten faschistischen Regime in Italien und Deutschland fast be-
deutungslos war. Die faschistischen Regime haben sich und mußten
sich auch nicht an den Interessen dieses Mittelstandes orientieren.
Schon deshalb muß es als sehr problematisch angesehen werden, Faschismus als Partei des Mittelstandes oder als „Extremismus der
Mitte" zu definieren.

Blickt man dagegen auf die Aufstiegsphase des Nationalsozialismus, so ergibt sich ein etwas anderes Bild. Innerhalb der Mitglied-
schaft der NSDAP überwogen zunächst tatsächlich Angehörige des
„neuen" und des „alten Mittelstandes".[24] Dies trifft insbesondere
auf die 'Aktivisten' der Partei, d. h. die Funktionäre und die Angehörigen der SA zu. In der Endphase der Weimarer Republik und vor
allen Dingen nach dem 30. Januar 1933 veränderte sich das Bild jedoch, weil nun auch zahlreiche Angehörige der Oberschicht und
des oberen Mittelstandes in die Partei strömten.[25] Darunter waren

---

[24] Michael H. Kater, Zur Soziographie der frühen NSDAP, in Vierteljahreshefte für Zeitgeschichte 19, 1971, S. 124–159. Zu den 'Aktivisten' (Begriff
ist von mir gebildet) der Partei: Peter H. Merkl, The Nazis of the Abel Col-
lection: Why they joined the NSDAP, in: Stein U. Larsen u. a. (Hrsg.), Who
were the Fascists. Social Roots of European Fascim, Bergen 1980, S. 268–
282. Auf die mittelständische Herkunft von 'Aktivisten' der Partei im regionalen Bereich hat bereits Rudolf Heberle hingewiesen. Vgl.: Rudolf Heberle,
From Democracy to Nazism, Baton Rouge 1945; ders., Landbevölkerung
und Nationalsozialismus, Stuttgart 1963. Ähnliche Ergebnisse auch in anderen Lokalstudien zum Aufstieg der NSDAP. Mit Hinweisen auf weitere
Literatur: Wolfgang Wippermann, Aufstieg und Machtergreifung der
NSDAP in Bremerhaven-Wesermünde, in: Jahrbuch der Männer vom Mor-
genstern 57, 1978, S. 165–199. Allgemein zum politischen Verhalten des
Mittelstandes in Deutschland: Arthur Schweitzer, Die Nazifizierung des
Mittelstandes, Stuttgart 1970; Heinrich August Winkler, Mittelstand, Demokratie und Nationalsozialismus. Die politische Entwicklung von Hand-
werk und Kleinhandel in der Weimarer Republik, Köln 1972; Helga Gre-
bing, Faschismus, Mittelschichten und Arbeiterklasse, in: IWK 12, 1976,
S. 443–460.

[25] Michael H. Kater, Sozialer Wandel in der NSDAP im Zuge der nationalsozialistischen Machtergreifung, in: Wolfgang Schieder (Hrsg.), Faschismus als soziale Bewegung. Deutschland und Italien im Vergleich,
Hamburg 1976, S. 25–68; Heinrich August Winkler, Mittelstandsbewegung
oder Volkspartei? Zur sozialen Basis der NSDAP, in: ebd., S. 97–118;
Michael H. Kater, The Nazi Party. A Social Profile of Members and Leaders
1919–1945, Oxford 1983; Reinhard Mann, Die Nationalsozialisten. Analysen faschistischer Bewegungen, Stuttgart 1980; Gerhard Schulz, Aufstieg

auffallend viele Akademiker, denen es dann zum Mißvergnügen der sog. 'alten Kämpfer' gelang, im Partei- und im Staatsapparat Karriere zu machen. Sieht man sich jedoch die Biographien dieser 'alten Kämpfer' an, so fällt auf, daß viele von ihnen den in den Mitgliederlisten angegebenen Beruf niemals ausgeübt haben. Viele von ihnen, allen voran Hitler selber, waren im bürgerlichen Leben gescheitert oder duch den Krieg und Nachkriegswirren 'aus der Bahn geworfen', hatten allein für und von der Partei gelebt. Zu diesen, wenn man will, 'gescheiterten Existenzen' vor allem innerhalb der SA kamen Angehörige des proletarischen, ja, subproletarischen und selbst kriminellen Milieus. Letzeres trifft auf verschiedene SA-Stürme in Berlin und in anderen Großstädten zu.[26] Das bekannteste Beispiel war der dann zum Märtyrer der Bewegung verklärte Horst Wessel, der nachweisbar Kontakte zu Zuhälterkreisen hatte.

Dieser soziale Spannungsbogen vom Zuhälter über den ehemaligen Offizier bis hin zum Hohenzollernprinzen deutet bereits darauf hin, daß es nicht oder zumindest nicht allein die soziale Herkunft war, die so viele arbeitslose, beruflich gescheiterte oder unzufriedene, im grauen Alltag desillusionierte junge Männer veranlaßte, sich der NSDAP und ihren Wehrorganisationen SA und SS anzuschließen. Die Partei insgesamt präsentierte sich ihnen als eine ausgesprochen junge und zugleich betont männliche Organisation. Gerade die Männergesellschaft der SA bot ihnen „Kameradschaft" und in den Aufmärschen und Prügeleien mit den politischen Gegnern ein 'Ersatz-Kriegserlebnis'.[27] Kurz – derartige ideologische und psychologische scheinen stärker und wichtiger als soziale Faktoren gewesen zu sein.

Zu einem ähnlichen Ergebnis gelangt man, wenn man sich mit der Frage beschäftigt, warum so viele Menschen die NSDAP gewählt

des Nationalsozialismus. Krise und Revolution in Deutschland, Berlin–Frankfurt a. M.–Wien 1975, S. 548 ff. – hat die NSDAP sogar als „Integrationspartei aller sozialen Schichten", ja, als „Volkspartei" bezeichnet.

[26] Beispiele und Nachweise in: Hans-Norbert Burkert/Klaus Matußek/Wolfgang Wippermann, 'Machtergreifung'. Berlin 1933, Berlin 1982.

[27] Hinweise darauf bei: Wolfgang Wippermann, Der Kult der Gewalt im Faschismus, in: Norbert Leser (Hrsg.), Macht und Gewalt in der Politik und Literatur des 20. Jahrhunderts, Wien–Köln 1985, S. 50–71. Die Deutung gerade dieses Phänomens bei: Klaus Theweleit, Männerphantasien, Bd. 1–2, Frankfurt a. M. 1977/78 – ist m. E. sehr anregend. Zu den anderen sozialpsychologischen Erklärungen vgl. unten Kap. 2.4, S. 76 ff.

haben. Hier ist jedoch zunächst darauf hinzuweisen, daß die neuere
Wahlforschung die Mittelstandsthese eher widerlegt als bestätigt
hat. Innerhalb der Wählerschaft der NSDAP überwiegt zwar das
mittelständische Element, dennoch haben keineswegs nur Mittelständler aus spezifisch 'mittelständlerischen' Motiven die NSDAP
gewählt.[28]

Dies heißt einmal, daß neben Angehörigen der Oberschicht (vor
allem nach 1930) auch Arbeiter die NSDAP gewählt haben. Dabei
handelte es sich, einer weit verbreiteten Legende zum Trotz, keineswegs primär um Arbeitslose. Arbeitslose haben überwiegend die
KPD gewählt und unterstützt, was dazu führte, daß die KPD geradezu zur Partei der Arbeitslosen wurde. Neben Land- und Heim-
arbeitern sowie Arbeitern in kleineren Betrieben, die meist nicht
den Arbeiterparteien und den Gewerkschaften angehörten, waren
es vor allem Arbeiter, die im öffentlichen Dienst (Post, Eisenbahn,
kommunale Betriebe) beschäftigt waren.[29]

Als weitere Differenzierung ist anzumerken, daß es im Hinblick
auf das Wahlverhalten des Mittelstandes konfessionell bedingte Unterschiede gegeben hat. Protestantische Mittelständler waren weit
mehr als Katholiken bereit, die NSDAP zu wählen. Insgesamt ist
festzustellen, daß sich das von der Kirche, der Zentrumspartei und

---

[28] Zu nennen sind vor allem: Thomas Childers, The Social Bases of the
National Socialist Vote, in: Journal of Contemporary History 11, 1976,
S. 17–42; Jürgen W. Falter, Wer verhalf der NSDAP zum Sieg? Neuere For-
schungsergebnisse zum parteipolitischen und sozialen Hintergrund der
NSDAP-Wähler 1924–1933, in: Aus Politik und Zeitgeschichte B 28–29,
1979 (14.7.), S. 3–21; ders., Wählerbewegungen zur NSDAP 1924–1933. Me-
thodische Probleme – empirisch abgesicherte Erkenntnisse – offene Fragen,
in: Otto Büsch (Hrsg.), Wählerbewegungen in der europäischen Geschichte, Berlin 1980, S. 159–202; Richard F. Hamilton, Die soziale Basis des
Nationalsozialismus, in: Jürgen Kocka (Hrsg.), Angestellte im europäischen Vergleich, Göttingen 1981, S. 354–375; ders., Who voted for Hitler?
Princeton 1982; Thomas Schnabel, Wer wählte Hitler? In: Geschichte und
Gesellschaft 8, 1982, S. 116–133.

[29] Vgl. dazu neben Falter, Hamilton und Schnabel: A. Stupperich, Volks-
gemeinschaft oder Arbeitersolidarität. Studien zur Arbeitnehmerpolitik in
der Deutschnationalen Volkspartei (1918–1933), Göttingen–Zürich 1982;
H. Prohasky, Haben die Arbeitslosen Hitler an die Macht gebracht? In: Geschichte in Wissenschaft und Unterricht 33, 1982, S. 609–637. Die anders-
lautenden Thesen von Max H. Kele, Nazis and Workers, Chapel Hill 1972;
Dietrich Orlow, The History of the Nazi Party, Bd. 1: 1919–1933, Pitts-
burgh 1969 u. a. sind damit offensichtlich widerlegt.

den zahlreichen Handwerks-, Jugend- und Frauenvereinen repräsentierte und verkörperte katholische Milieu sowohl in den Städten wie besonders auf dem Land als relativ resistent erwiesen hat.[30] Eine dritte Differenzierung ist, daß das Wählerverhalten für und gegen die NSDAP auch von regionalen Faktoren geprägt war. Besonders hohe Gewinne konnte die NSDAP in den Grenzregionen im Osten, besonders in Ostpreußen, verbuchen. Dafür waren neben politischen – Angst vor und Haß auf Polen – wiederum spezifische wirtschaftliche Faktoren entscheidend. Die Weltwirtschaftskrise hatte hier besonders katastrophale Auswirkungen, weil diese Gebiete bereits unter einer strukturell bedingten Wirtschaftskrise litten. Schließlich sind in diesem Zusammenhang noch weitere, regional bedingte, politische Faktoren zu nennen. In einigen Gebieten Norddeutschlands gab es Parteien (wie zum Beispiel die welfisch orientierte Deutsch-Hannoversche Partei) und landwirtschaftliche Interessenverbände, die besonders schnell von der NSDAP unterwandert und verdrängt wurden. Auf der anderen Seite ist es gerade der SPD in den Großstädten und Industrieregionen gelungen, ihren Stimmenanteil weitgehend stabil zu halten. Hier kann man wie in ländlich-katholischen Regionen eine gewisse Abwehrbereitschaft und Resistenz gegenüber der NSDAP beobachten, die zum Teil auch noch während der Zeit des Dritten Reiches anhielt.[31] Ohne hier näher auf das, weitaus weniger erforschte, Verhältnis zwischen Mittelstand und Faschismus in den anderen Ländern[32] einzugehen, kann abschließend folgendes gesagt werden: Der Faschismus insgesamt kann nicht als Partei des Mittelstandes charakterisiert und definiert werden. Dennoch ist die Frage nach seiner sozialen Basis nach wie vor wichtig. Sie kann und muß im Rahmen

---

[30] Die – relative ! – Resistenz der katholischen Bevölkerung wird nicht nur von den genannten Wahlforschungs-, sondern auch von verschiedenen Lokalstudien belegt. Besonders eindrücklich in verschiedenen Beiträgen in: Martin Broszat (Hrsg.), Bayern in der NS-Zeit, Bd. 1–6, München–Wien 1977–1983.

[31] Vgl. dazu die in Anm. 28 genannte Literatur (bes. Hamilton). Diese These müßte jedoch noch durch weitere lokalgeschichtliche Arbeiten untermauert werden, wobei auch die einzelnen Wahl*bezirke* in ihrer sozialen Zusammensetzung und in ihrem Wahlverhalten berücksichtigt werden müßten. Vgl. dazu auch meinen in Anm. 24 zitierten Aufsatz.

[32] Vgl. dazu: Larsen (Hrsg.), Who were the Fascists?; Wippermann, Europäischer Faschismus im Vergleich; und unten: Zusammenfassung, S. 113.

einer vergleichenden Faschismusforschung näher untersucht und beantwortet werden.

2.4 Faschismus und 'autoritärer Charakter'

Vor 1945 haben sich überraschend wenige Faschismustheoretiker mit der zweifellos zentralen Frage beschäftigt, warum es den faschistischen Parteien in Italien, Deutschland und anderen Ländern gelungen ist, eine Massenbasis zu erreichen. Sofern diese Frage überhaupt für wichtig erachtet wurde – für die meisten Kommunisten war der Faschismus ohnehin nur ein 'Instrument' der Bourgeoisie –, haben Sozialdemokraten und auch einige Kommunisten in diesem Zusammenhang auf soziale Ursachen verwiesen, die gerade den Mittelstand für die nationalsozialistische Ideologie anfällig machten. Die Bestandteile dieser Ideologie waren zwar erkannt und beschrieben worden, ihre Wirkungsweise jedoch meist nur mit dem Hinweis auf einen gewissen Verblendungszusammenhang erklärt worden, durch den die Erkenntnis der Irrationalität der nationalsozialistischen Weltanschauung und ihrer sozialen, nämlich prokapitalistischen Funktion erschwert würden.[33] Nur wenige marxistische Faschismustheoretiker waren bereit und in der Lage, die nationalsozialistische Ideologie wirklich ernst zu nehmen.

Zu ihnen gehörte Max Horkheimer, der in einem 1939/40 veröffentlichten Aufsatz über die ›Juden und Europa‹ vor allem auf den Antisemitismus hinwies, der eine sehr zugkräftige Ideologie sei, die überall und keineswegs nur in Deutschland eine große Anziehungskraft nicht nur auf „Kleinbürger", sondern auch auf Arbeiter, insbesondere „Arbeitslose", ausübe.[34] Der Faschismus sei wegen der antisemitistischen Ideologie und wegen seiner „autoritär-kollektivistischen Lebensformen" innerhalb der Politik und Propaganda durchaus geeignet, zu einem „universalen Prinzip" zu werden, zumal er gleichzeitig auch über „ökonomische Chancen auf lange Frist" verfüge. Damit meinte Horkheimer, daß der Faschismus

[33] Zusammenfassend dazu: Wolfgang Wippermann, 'Triumph des Willens' oder kapitalistische Manipulation? Das Ideologieproblem im Faschismus, in: Karl Dietrich Bracher/Manfred Funke (Hrsg.), Nationalsozialistische Diktatur 1933–1945. Eine Bilanz, Bonn 1983, S. 735–759.
[34] Max Horkheimer, Die Juden und Europa, in: Zeitschrift für Sozialforschung 8, 1939/40, S. 115–137.

nicht nur mit Hilfe von und in einem gewissen Bündnis mit kapitalistischen Kräften zur Macht gekommen sei, sondern der kapitalistischen Wirtschaftsstruktur in ein neues und sehr zukunftsträchtiges
Stadium verholfen habe.

Im Unterschied zu Horkheimer, der in diesem Zusammenhang
vor allem die Modernität des Faschismus betonte, hat Ernst Bloch
die Wirksamkeit der faschistischen Ideologie mit dem Hinweis auf
Bewußtseinsstrukturen erklärt, die gerade bei Teilen der Jugend und
bei den Mittelschichten anzutreffen seien und die sich an bestimmten vorindustriellen Verhältnissen orientierten.[35] Die faschistischen Ideologen nützten diese „Ungleichzeitigkeit", das Nebeneinander von modernen und „älteren Seinsarten", für ihre Zwecke
aus. Der Faschismus insgesamt sei eine ambivalente, durch alte und
moderne Züge zugleich gekennzeichnete Erscheinung. Dies müsse
man bei der antifaschistischen Politik und Propaganda berücksichtigen. Eine ökonomistische oder soziologische Erklärung der nationalsozialistischen Wahlerfolge sei nicht ausreichend, denn die faschistische Ideologie habe „lange Wurzeln und längere als das Kleinbürgertum". Die vulgärmarxistische Cui-bono-Frage führe nicht
weiter bzw. nicht weit genug, denn: „Das Problem wird desto
größer, je einfacher dem wasserhellen Autor die wasserklare Lösung
gelungen ist; nämlich für seine vulgär-marxistischen Bedürfnisse,
die ihm genauso alles vereinfachen wie den Nationalsozialisten ihre
dumme Begeisterung."[36]

Von einer ähnlich kritischen Bewertung gerade der instrumentalistischen Faschismustheorie ging auch der Psychologe Wilhelm
Reich in seinem 1934 schon in der Emigration veröffentlichten Buch
›Massenpsychologie des Faschismus‹ aus.[37] Der Faschismus dürfe
keineswegs ausschließlich als „Garde des Finanzkapitals" angesehen werden, denn schließlich übe er eine große Anziehungskraft
auf kleinbürgerliche und selbst proletarische Schichten aus,
deren ökonomische Interessen eben nicht vom Faschismus vertreten
würden. Dies bedeute, daß sich die „ökonomische Lage" offensicht-

---

[35] Ernst Bloch, Erbschaft dieser Zeit, Frankfurt a. M. 1962 (zuerst 1935);
Auszüge unter dem Titel ›Der Faschismus als Erscheinungsform der Ungleichzeitigkeit‹, in: Nolte (Hrsg.), Theorien über den Faschismus, S. 182–
204.

[36] A. a. O. S. 185 ff.

[37] Wilhelm Reich, Massenpsychologie des Faschismus, Kopenhagen
²1934.

lich nicht „unmittelbar und direkt in politisches Bewußtsein" umsetze. Es klaffe statt dessen eine „Schere zwischen der Entwicklung an der ökonomischen Basis, die nach links drängte, und der Entwicklung breiter Schichten, die nach rechts erfolgte", auf.[38] Reich versuchte nun, diese unerwartete Tatsache, daß „Kleinbürger" und selbst Proletarier mitten in einer beispiellosen Wirtschaftskrise einer Partei nachliefen, die nicht ihre, sondern die Interessen kapitalistischer Kreise vertrat, mit Hilfe der psychologischen Theorie Freuds zu erklären. Die eigentliche Ursache für die Wirksamkeit der faschistischen Ideologie wollte er in der Unterdrückung der natürlichen Sexualität bei Angehörigen aller Klassen, auch des Proletariats, sehen. Bereits innerhalb der Familie finde eine „Hemmung der natürlichen Geschlechtlichkeit des Kindes" statt, die dann durch die 'Ideologiefabriken' der Kirche und der Schule noch verstärkt werde.[39] Die nationalsozialistischen Ideologen würden mit großem Erfolg die Unterdrückung und Verdrängung der natürlichen Sexualität für ihre Zwecke ausnützen. Dabei komme gerade der Rassismus der Nationalsozialisten den „unbewußten Strömungen im Fühlen der nationalsozialistischen Massen" entgegen, denn die zentralen Begriffe der „Rassereinheit" und „Blutsvergiftung" seien auf die „Sexualverdrängung" und „Sexualscheu" innerhalb der patriarchalischen Gesellschaft zu reduzieren.[40] Insgesamt stelle der Faschismus das „Aufbäumen einer sexuell wie wirtschaftlich todkranken Gesellschaft gegen die schmerzlichen, aber entschiedenen Tendenzen des Bolschewismus zur sexuellen ebenso wie ökonomischen Freiheit" dar.[41] Folglich müsse man sich bei der Bekämpfung des Faschismus nicht nur auf den ökonomischen, sondern auch auf den sexuellen Aspekt konzentrieren. Eine politisch-soziale wie psychisch-sexuelle Befreiung der Menschen sei im Kampf gegen den Staat, seine 'Ideologiefabriken' Kirche und Schule und gegen die bürgerliche Familie überhaupt anzustreben.

Ähnlich wie Reich vertrat auch dessen Fachkollege Erich Fromm die Meinung, daß auf die psychologischen Bedingungen des Faschismus genauso einzugehen sei wie auf die rein „ökonomischen und politischen"[42]. Durch die Triebunterdrückung in der bürgerli-

---

[38] A.a.O. S.20, 33 und 13.
[39] A.a.O. S.50f.
[40] A.a.O. S.127.
[41] A.a.O. S.94.
[42] Erich Fromm, Die Furcht vor der Freiheit, Zürich 1945, S.213.

chen Familie entstehe in einem bestimmten sadomasochistisch-
autoritären Verhalten die Persönlichkeitsstruktur des Faschismus.
Die Familie, in der autoritäre Charaktere herangebildet werden,
ist sicherlich eine Spiegelung gesellschaftlicher Verhältnisse, aber –
dies gilt auch umgekehrt; lassen sich gesellschaftliche Vorgänge und
Konflikte ausschließlich und direkt aus der Familienstruktur ab-
leiten, sind psychologische Entdeckungen, die bei 'Einzelpersonen'
gemacht werden, auch auf Gruppen übertragbar? Ist es also ausreichend, die herkömmliche Familienordnung zu verändern oder gar
nur die Sexualgewohnheiten zu liberalisieren, wenn man den Faschismus verhindern will?

Schließlich – wurden alle Personen mit derartigen sadomaso-
chistisch-autoritären Verhaltensformen und Eigenschaften zu Anhängern des Faschismus bzw. müssen sie es werden?

Gerade diesen Nachweis haben auch die Autoren und Mitarbeiter
des sozialpsychologischen Standardwerks ›The Authoritarian Personality. Studies in Prejudice‹ nicht erbracht.[43] Adorno, Frenkel-
Brunswick, Flowerman und Horkheimer unterschieden in diesem
Zusammenhang zwischen vier Formen einer vorurteilsvollen Einstellung: Antisemitismus, Ethnozentrismus, (extremer) Konservativismus und Antidemokratismus. Doch die Frage, ob und wenn ja
wann und warum alle 'autoritären', antisemitisch, ethnozentrisch,
konservativ und antidemokratisch eingestellten 'Charaktere' zu
Faschisten werden, konnten auch sie nicht beantworten.

Ebenfalls problematisch und unbefriedigend sind die Versuche
von Psychohistorikern wie Walter C. Langer, Erich Fromm, Rudolph Binion u.a., mit psychoanalytischen Methoden die Biographien führender Faschisten, vor allem die Hitlers, zu analysieren.[44]
So interessant ihre Ausführungen im einzelnen auch sind, unzurei-

---

[43] Theodor W. Adorno u.a., The Authoritarian Personality. Studies in
Prejudice, New York 1950.
[44] Walter C. Langer, Das Adolf-Hitler-Psychogramm: eine Analyse
seiner Person und seines Verhaltens, verfaßt 1943 für die psychologische
Kriegsführung der USA, Wien 1973 (zuerst: New York 1972); Erich
Fromm, Anatomie der menschlichen Destruktivität, Hamburg 1979 (zu-
erst: New York 1973); Rudolph Binion, „... daß ihr mich gefunden habt".
Hitler und die Deutschen: Eine Psychohistorie, Stuttgart 1978 (zuerst:
New York 1976). Zur Kritik dieser Arbeiten: Wolfgang Wippermann, Ein-
leitung, in: ders. (Hrsg.), Kontroversen um Hitler, Frankfurt a.M. 1986,
S. 89 ff.

chend und unbefriedigend sind ihre Versuche, die individualpsychologische mit der sozialpsychologischen Ebene zu verbinden und zu erklären, wie es Hitlers NSDAP gelang, aufzusteigen und die Macht zu ergreifen. Ihre Deutungen der Psychopathologie Hitlers tragen wenig zur Klärung dieses zentralen Problems bei.[45] Generell ist festzustellen, daß es bisher noch nicht gelungen ist, die meist auf Freud zurückgehenden, individualpsychologisch orientierten Fragestellungen und Methoden für die Erklärung des gesellschaftlichen Phänomens Faschismus fruchtbar zu machen. So interessant und faszinierend die einzelnen sozialpsychologischen Faschismustheorien auch sind – hinzuweisen wäre hier vor allem auf Theweleits ›Männerphantasien‹[46] –, eine Sozialpsychologie des Faschismus (bzw. der Faschismen) ist bisher nur in Ansätzen erkennbar.[47] Sie könnte im Rahmen einer vergleichenden Faschismusforschung eine sehr wichtige Funktion erfüllen.

2.5 Faschismus und Modernisierung

Nach der Überzeugung vieler kommunistischer Faschismustheoretiker war der Faschismus ein Agent des Kapitals. Faschistische Bewegungen gab und gibt es aber auch in Ländern, in denen sich der Kapitalismus noch kaum durchgesetzt hat. Dies galt in der Zwischenkriegszeit für viele Länder Südosteuropas, in denen noch bis zu 80% der Bevölkerung in der Landwirtschaft tätig und der Prozeß der modernen Nationwerdung noch nicht abgeschlossen

[45] Allgemein zum Nutzen und zu den Grenzen der 'Psychohistorie': Hans-Ulrich Wehler (Hrsg.), Geschichte und Psychoanalyse, Köln 1971.

[46] Klaus Theweleit, Männerphantasien, Bd. 1–2, Frankfurt a. M. 1977/ 78.

[47] Wichtig: Klaus Horn, Sozialpsychologische Aspekte des Faschismus, in: Fascism and Europe. An International Symposium, Bd. 2, Prag 1970, S. 107–151; Franciszek Ryska, Les sources psychologiques et sociales du fascisme, in: ebenda, S. 152–174. Verschiedene Arbeiten gibt es dagegen über die psychischen Folgen der KZ-Haft, die Geschichte der Psychologie im Dritten Reich und über die Auseinandersetzung mit dem Nationalsozialismus nach 1945. Zum letzteren vor allem: Alexander und Margarethe Mitscherlich, Die Unfähigkeit zu trauern, München 1967. Weitere Hinweise bei: Hans-Martin Lohmann (Hrsg.), Psychoanalyse und Nationalsozialismus. Beiträge zur Bearbeitung eines unbewältigten Traumas, Frankfurt a. M. 1984.

waren. Hier standen die ökonomische, soziale und politische Mobilisierung und Modernisierung noch in den Anfängen. Konnte in solchen Ländern der Faschismus überhaupt die Partei der Bourgeoisie sein, wo er eben diese Bourgeoisie aus „kümmerlichen Ansätzen heraus zu einer mächtigen Klasse" gemacht hatte?[48] War der italienische Faschismus, wie der Sozialist Franz Borkenau in einem 1933 publizierten Aufsatz behauptete, eine Art Entwicklungsdiktatur „zur Schaffung des industriellen Kapitalismus"? Hatte, wie es Hermann Rauschning und andere Konservative meinten, der Nationalsozialismus eine spezifisch moderne, ja, revolutionäre Zielsetzung?[49]

Diese Fragen, die schon 1945 intensiv diskutiert wurden, sind auch innerhalb der neueren Nationalsozialismusforschung aufgegriffen worden. So hat der deutsche Soziologe Ralf Dahrendorf schon 1965 die These aufgestellt, daß das nationalsozialistische Regime, wenn auch widerwillig, auf vielen Gebieten eine modernisierende Politik betrieben habe.[50] Das Dritte Reich insgesamt könne daher als „Stoß in die Modernität" bezeichnet werden. Dahrendorfs These ist dann vom amerikanischen Sozialhistoriker David Schoenbaum aufgegriffen worden, der ebenfalls auf die modernisierenden Wirkungen des nationalsozialistischen Regimes gerade im Bereich der Sozialpolitik hinwies.[51] Das Dritte Reich habe in diesem Bereich eine „soziale Revolution" hervorgerufen.

Detlev Peukert dagegen hat in seinem Buch über „Volksgenossen und Gemeinschaftsfreunde" gemeint, daß der Nationalsozialismus zwar durchaus moderne Züge trage, doch dabei handele es sich vor allem, ja, fast ausschließlich um die negativen Aspekte der allgemeinen Modernisierung.[52] Das Dritte Reich sei Beispiel und

---

[48] Franz Borkenau, Zur Soziologie des Faschismus, in: Archiv für Sozialwissenschaft und Sozialpolitik 68, 1933; abgedruckt in: Nolte (Hrsg.), Theorien über den Faschismus, S. 156–181.

[49] Hermann Rauschning, Die Revolution des Nihilismus, Zürich–New York 1938.

[50] Ralf Dahrendorf, Gesellschaft und Demokratie in Deutschland, München 1965.

[51] David Schoenbaum, Die braune Revolution. Eine Sozialgeschichte des Dritten Reiches, Köln 1968 (zuerst unter dem Titel ›The social Revolution‹, New York 1966).

[52] Detlev Peukert, Volksgenossen und Gemeinschaftsfremde. Anpassung, Ausmerze und Aufbegehren unter dem Nationalsozialismus, Köln 1982.

Symptom der allgemeinen „Krankengeschichte der Moderne" und
es sei zugleich ein spezifisches „Symptom der Krise der industriellen Klassengesellschaft in Deutschland". Diese allgemein modernen
wie spezifisch deutschen Faktoren hätten im Dritten Reich zur
„Formierung einer ideologisch homogenen, sozial angepaßten, lei-
stungsorientierten und hierarchisch gegliederten Gesellschaft" geführt.[53] Das Dritte Reich war, so könnte man Peukert paraphra-
sieren, sowohl Rückfall wie Fortschritt in die Barbarei.

Ähnlich wie Peukert hat der Literaturhistoriker Hans Dieter
Schäfer auf gewisse spezifisch moderne oder, wie er formuliert,
„amerikanische" Elemente innerhalb der Sozial- und Alltagsgeschichte des Dritten Reiches hingewiesen.[54] Schäfer nennt und beschreibt anhand von literarischen und publizistischen Quellen, vor
allem Tages- und Wochenzeitungen mit ihren Sport-, Kultur- und
Reklameteilen, daß im Dritten Reich z.B. bis in die Kriegszeit
hinein noch amerikanische Filme – bis hin zu ›Mickey Mouse‹ – gezeigt, Jazzmusik gespielt und Werbung für Coca-Cola betrieben
wurde. Diese „amerikanischen" Lebenswirklichkeiten stünden in
einem „tiefen Gegensatz" zur 'eigentlichen' nationalsozialistischen
Ideologie und Praxis. Dieses Nebeneinander von „amerikanischen"
und „völkischen" Elementen habe innerhalb der „sozialen Wirklichkeit" des Dritten Reiches ein „gespaltenes Bewußtsein" hervorgerufen. Es dokumentiere und beruhe auf einer „schizophrenen
Reaktion" der Deutschen auf den allgemeinen Prozeß der Modernisierung.

Ob das Dritte Reich gewollt oder nicht gewollt eine modernisierende Funktion hatte, ist innerhalb der Forschung nach wie vor
umstritten. Während z.B. Karl Dietrich Bracher diese Frage eher
bejaht,[55] wird sie von Henry Ashby Turner verneint[56]. Ähnlich

---

[53] A.a.O. S.295.

[54] Hans-Dieter Schäfer, Das gespaltene Bewußtsein. Deutsche Kultur
und Lebenswirklichkeit 1933–1945, Frankfurt a.M.–Berlin–Wien 1984,
S.146–208.

[55] Karl Dietrich Bracher, Tradition und Revolution im Nationalsozialismus, in: ders., Zeitgeschichtliche Kontroversen. Um Faschismus, Totalitarismus, Demokratie, München 1976, S.62–78. Bracher meint (S.69), daß
„man dem Nationalsozialismus revolutionäre 'Qualitäten' nicht bestreiten"
könne. Andererseits betont er die „durchgängige Ambivalenz von traditionellen und revolutionären Elementen im Nationalsozialismus" (S.66).

[56] Henry Ashby Turner, Faschismus und Anti-Modernismus, in: ders.,

kontrovers ist die Diskussion, ob der Faschismus generell eine spezifisch 'moderne' Erscheinung war. Der amerikanische Historiker A. James Gregor ist ein prononcierter Verfechter dieser These, wobei er allerdings sehr unterschiedliche politische Phänomene – von den europäischen Faschismen der Zwischenkriegszeit über den Peronismus bis hin zu den Befreiungsbewegungen der Dritten Welt – als „faschistisch" klassifiziert.[57] Alan Cassels hat dagegen betont, daß der italienische Faschismus im Unterschied zum Nationalsozialismus eine modernisierende Zielsetzung und Funktion gehabt habe.[58] Ihm hat sich nun auch Renzo De Felice angeschlossen, der mit dieser Begründung die Verwendung eines allgemeinen Faschismusbegriffes ablehnt.[59] Doch diese Behauptung ist ebenso umstritten wie die Ansicht des ungarischen Historikers Miklós Lackó, daß die Faschismen in Südosteuropa eine Industrialisierung und Modernisierung ihrer Länder angestrebt hätten.[60] Dies mag allen-

Faschismus und Kapitalismus in Deutschland, Göttingen 1972, S. 157–182. Allerdings betont auch Turner, daß die „Nationalsozialisten" „zwangsläufig 'Moderniziation' praktizierten, um ihre im Grunde fortschrittsfeindlichen Ziele verfolgen zu können". Gut wird die Ambivalenz von spezifisch 'modernen' und ebenfalls spezifisch 'reaktionären' Zügen im Dritten Reich herausgearbeitet von: Hans-Ulrich Thamer, Verführung und Gewalt. Deutschland 1933–1945, Berlin 1986, bes. S. 467 ff. Wichtig ferner: Horst Matzerath/ Heinrich Volkmann, Modernisierungstheorie und Nationalsozialismus, in: Jürgen Kocka (Hrsg.), Theorien in der Praxis des Historikers, Göttingen 1977 (= Sonderheft 3 von ›Geschichte und Gesellschaft‹), S. 86–116.

[57] A. James Gregor, The Ideology of Fascism, New York 1969; ders., The Fascist Persuasion in Radical Politics, Princeton 1974.

[58] Alan Cassels, Janus: The Two Faces of Fascism, in: The Canadian Historical Association, Historical Papers, 1969, S. 165–184; auch in: Henry Ashby Turner (Hrsg.), Reappraisals of Fascism, New York 1975, S. 69–92.

[59] Renzo De Felice, Der Faschismus. Ein Interview mit M. A. Ledeen, Stuttgart 1977 (ital. 1975), bes. S. 45. De Felice begründet die These vom Faschismus als „revolutionärem Phänomen" (S. 45) vor allem mit dem Hinweis darauf, daß „aufsteigende Mittelschichten" (S. 35) die soziale Basis des Faschismus (vor allem vor der Regimephase) gebildet hätten. Eine völlig andere Position vertrat er in einem anderen Aufsatz. Vgl.: Renzo De Felice. Le fascisme italien et les classes moyennes, in: Fascism and Europe, Prag 1970, Bd. 2, S. 186–202. Mit Hinweisen auf weitere Literatur (Sarti, Tannenbaum etc.): Hans-Ulrich Thamer/Wolfgang Wipperman, Faschistische und neofaschistische Bewegungen, Darmstadt 1977, S. 160 f.

[60] Miklós Lackó, Zur Frage der Besonderheiten des südosteuropäischen Faschismus, in: Fascism and Europe, Bd. 2, Prag 1970, S. 1–22.

falls auf die ungarischen 'Pfeilkreuzler' zutreffen, kaum jedoch auf die extrem reaktionäre 'Eiserne Garde' in Rumänien und die 'Ustascha' in Kroatien.[61]

Ohne hier auf weitere Einzelheiten einzugehen, kann gesagt werden, daß man 'Faschismus' generell weder ausschließlich als „Rückfall in die Barbarei" noch als „Stoß in die Modernität" (Dahrendorf) oder „soziale Revolution" (Schoenbaum) bezeichnen kann. Doch diese Aussage basiert auf dem gegenwärtigen, wie gesagt sehr unzureichenden, Stand innerhalb der vergleichenden Faschismusforschung.[62] Es ist durchaus möglich, daß weitere intensive Studien zu anderen Ergebnissen gelangen. Sie müßten jedoch nicht nur einen vergleichenden Charakter haben, sie könnten sich auch an den Methoden und Erkenntnissen der allgemeinen Modernisierungsforschung orientieren.[63]

In den USA hat man sich in den letzten Jahren intensiv mit einem solchen "study of modernization" beschäftigt. Einige dieser Arbeiten werden allerdings nicht durch den 'frischen Wind der Neuen Welt', sondern auch durch antikommunistische Ressentiments und nationale Überheblichkeiten gekennzeichnet. Modernisierung wird oft mit 'westernization' gleichgesetzt, weil die 'English speaking countries' in der industriellen wie demokratischen Entwicklung die Führung erlangt hätten.[64]

---

[61] Dazu mit Hinweisen auf weitere Literatur (Weber, Sugar, Nagy-Talavera etc.): Thamer/Wippermann, Faschistische und neofaschistische Bewegungen, S. 84–119; Wippermann, Europäischer Faschismus im Vergleich, S. 91–108.

[62] Zusammenfassend: Wippermann, Europäischer Faschismus im Vergleich, bes. S. 198. Dagegen: Wolfgang J. Mommsen, Gesellschaftliche Bedingtheit und gesellschaftliche Relevanz historischer Aussagen, in: Eberhard Jäckel/Ernst Weymar (Hrsg.). Die Funktion der Geschichte in unserer Zeit, Stuttgart 1975, S. 219. W. Mommsen meint, daß „die Faschismen eine besondere Form der Herrschaft in Gesellschaften" gewesen seien, „die sich in einer kritischen Phase des gesellschaftlichen Transformationsprozesses zur Industriegesellschaft befinden und zugleich objektiv oder in den Augen der herrschenden Schichten von der Möglichkeit eines kommunistischen Umsturzes bedroht sind".

[63] Allgemein dazu: Hans-Ulrich Wehler, Modernisierungstheorie und Geschichte, Göttingen 1975; Peter Flora, Modernisierungsforschung. Zur empirischen Analyse der gesellschaftlichen Entwicklung, Opladen 1974.

[64] Ohne Anspruch auf Vollständigkeit: Cyril E. Black, The Dynamics of Modernization. A Study in Comparative History, New York–London 1966;

Die Untersuchungsmethoden differieren sehr stark. So werden etwa verschiedene Wege der modernisierenden Gesellschaften untersucht. Dabei werden die Beziehungen zwischen den politischen, ökonomischen, sozialen und kulturellen Sphären der traditionellen und modernen Gesellschaften miteinander verglichen. Nach welchen Kriterien dies geschieht, erscheint jedoch teilweise sehr willkürlich und ungenau, teilweise von politischen Wertungen abhängig. Vor allem wird nicht deutlich, ob und gegebenenfalls wie sich die Modernisierung der demokratischen Gesellschaften von den Ländern unterschied, in denen der Faschismus stark werden oder gar zur Macht kommen konnte.[65]

Zumindest bedenkenswerte und anregende Antworten auf diese im Rahmen der Faschismusforschung entscheidende Frage findet man dagegen in dem Buch Barrington Moores über ›Soziale Ursprünge von Diktatur und Demokratie‹.[66] Moore untersucht vor allem das Verhältnis von Grundherrn und Bauern beim Übergang von der vormodernen zur modernen Industriegesellschaft. Dabei unterscheidet er drei Wege voneinander:

Einmal den bürgerlich-demokratischen Weg. Er setzt die Brechung der Herrschaft der grundbesitzenden Aristokratie voraus. Dies könne, wie die Beispiele Englands und Frankreichs zeigten, auf zwei Wegen geschehen. In England habe sich die Aristokratie mit dem Bürgertum assimiliert. Beide gemeinsam hätten gegen den Widerstand der Bauern die Landwirtschaft kommerzialisieren und kapitalistischen Prinzipien unterwerfen können. In Frankreich dagegen sei die landbesitzende Aristokratie während der Revolution sowohl in politischer wie ökonomischer Hinsicht weitgehend ausgeschaltet worden.

Zweitens skizziert Moore den kommunistischen Weg der Bauernrevolution. Er nennt hier Rußland und China als Beispiele. In beiden Ländern seien Handel und Industrie zu schwach entwickelt

David E. Apter, The Politics of Modernization, Chicago–London 1967; A. F. K. Organski, The Stages of Political Development, New York 1967; ders., Fascism and Modernization, in: Stuart J. Woolf (Hrsg.), The Nature of Fascism, London 1968, S. 19–41.

[65] Diese Kritik gilt vor allem den Arbeiten von C. E. Black und A. F. K. Organski.

[66] Barrington Moore, Soziale Ursprünge von Diktatur und Demokratie. Die Rolle der Großgrundbesitzer und Bauern bei der Entstehung der modernen Welt, Frankfurt a. M. 1969 (engl. 1966).

gewesen, um als Bündnispartner der grundbesitzenden Aristokratie in Frage zu kommen, die wiederum allein nicht in der Lage gewesen wären, eine Kommerzialisierung und Modernisierung der Landwirtschaft durchzuführen. Die Großgrundbesitzer seien von einer Bauernrevolution vernichtet worden, deren zweites Opfer die Bauern dann selber werden sollten.

Drittens geht es um den konservativ-reaktionären Weg einer Revolution von oben. Als Beispiel gelten vor allem Japan und Preußen/Deutschland. In diesen Ländern habe sich das Bürgertum ebenfalls nicht entfalten können. Die Industrialisierung sei schließlich von oben, vor allem vom Staat durchgeführt worden, der dabei sowohl von Großagrariern wie Angehörigen des Industrie- und Handelsbürgertums unterstützt worden sei. Bewußt beibehalten seien jedoch die feudalen Strukturen auf dem Lande. Da durch die Industrialisierung der Landwirtschaft aber Arbeitskräfte entzogen würden, sei es zu Konflikten und Widersprüchen gekommen. Der Staat versuche, sie durch eine expansionistische und imperialistische Politik zu überwinden. Ebenfalls integrativen Zwecken dienten der Einsatz von nationalistischen, militaristischen, antimodernistischen und fremdenfeindlichen Ideologien. All dies habe die Entstehung von faschistischen Regimen begünstigt, wobei Moore auch die japanische Militärdiktatur unter General Tojo als faschistisch charakterisiert.[67]

Dies ist nicht die einzige Fehleinschätzung in dem, angesichts der umfassenden Fragestellung vielleicht notwendigerweise, etwas abstrakten Buch Barrington Moores. Andererseits weist seine These Übereinstimmungen mit den bereits geschilderten Versuchen auf, die realgeschichtlichen Beziehungen und Kontinuitäten zwischen Bonapartismus und Faschismus zu analysieren. Schon deshalb ist sein Versuch bemerkenswert. Die vergleichende Faschismusforschung kann von Barrington Moores modernisierungstheoretischem Ansatz wichtige Anregungen erhalten.

[67] Dazu: Masao Maruyama, Thought and Behavior in Modern Japanes Politics, Oxford 1963; Yasushi Yamaguchi, Faschismus als Herrschaftsform in Japan und Deutschland. Ein Versuch des Vergleichs, in: Geschichte in Wissenschaft und Unterricht 27, 1976, S. 89–99.

2.6 Der 'Faschismus in seiner Epoche'

Ernst Noltes Verdienst ist es, den Begriff 'Faschismus' als gesamteuropäisches Phänomen zwischen den Weltkriegen in der wissenschaftlichen Diskussion des Westens durchgesetzt und die, wie
Waldemar Besson meinte, „erste wissenschaftliche Gesamtdeutung
des Faschismus in der vollen Breite seiner historischen Erscheinungen" geschrieben zu haben.[68]
Noltes Faschismusbegriff erwächst aus einer Analyse der Action
française, des italienischen Faschismus und des Nationalsozialismus
und basiert auf den Faktoren des „Ereignisses", der „Struktur" und
des „Selbstverständnisses" des Faschismus.[69] Wesentlich ist nach
Nolte besonders das „Selbstverständnis" dieser Phänomene, „wie
sie sich von sich aus darstellen". „Mithin muß die Darstellung der
Gedanken Mussolinis und Hitlers das Zentrum der dem Faschismus
und Nationalsozialismus gewidmeten Abschnitte ausmachen, und
sie muß so ausführlich erfolgen, den Gegenstand so reichlich selbst
zu Wort kommen lassen, daß jeder Verdacht ausgeschaltet wird, ein
vorgefaßtes Schema solle durch herausgegriffene einzelne Zitate bekräftigt werden."[70]
Dies ist, und das darf nicht vergessen werden, nur der Interpreta-
tionsansatz. Noltes Interpretation bleibt keineswegs personalistisch,
sie ist keine reine Bewußtseins-, Ideen- oder Geistesgeschichte, die
Theorie wird nicht mit dem Phänomen identifiziert, und es kann
keine Rede davon sein, daß Nolte in die Gefahr einer „immanenten
Rechtfertigung des Faschismus" gerät oder gar die „faschistische
Doktrin" reproduziere.[71]
Noltes Analysen des französischen, italienischen und deutschen
Faschismus beschränken sich keineswegs auf die intellektuellen Bio-

---

[68] Waldemar Besson, Die Interpretation des Faschismus, in: Neue Politische Literatur 1968, S. 306–313, S. 306.
[69] Ernst Nolte, Der Faschismus in seiner Epoche. Die Action française.
Der italienische Faschismus. Der Nationalsozialismus, München 1963 (im
folgenden: Nolte, Faschismus), S. 53.
[70] A. a. O. S. 55.
[71] So: Johannes Agnoli, Zur Faschismus-Diskussion II, in: Berliner Zeitschrift für Politologie 9, 1968, S. 32–49, S. 49. Ähnlich auch Reinhard
Kühnl, Probleme einer Theorie über den internationalen Faschismus. Teil I.
Die Faschismuskonzeption Ernst Noltes, in: Politische Vierteljahrsschrift
11, 1970, S. 318–341.

graphien ihrer Führer, sondern umfassen Geschichte und Vorge-
schichte des Faschismus im weitesten Sinne. Mit der typologischen
Methode kann er nachweisen, daß bestimmte Organisations- und
Kampfmethoden sowie gewisse ideologische Prinzipien bei allen
faschistischen Bewegungen auftraten. Darüber hinaus werden die
Beziehungen der faschistischen Bewegungen untereinander, ihr Ver-
hältnis zum Antifaschismus sowie generell die Stellung des Faschismus im Rahmen der internationalen Beziehungen untersucht.[72]
Dies führt zu folgender Definition:
„Der Faschismus ist Anti-Marxismus, der den Gegner durch die
Ausbildung einer radikal entgegengesetzten und doch benachbarten
Ideologie und die Anwendung von nahezu identischen und doch
charakteristisch umgeprägten Methoden zu vernichten trachtet,
stets aber im Rahmen nationaler Selbstverwaltung und Autonomie."[73]
Wesentliche Voraussetzung des Faschismus sei die bolschewistische Revolution, die eine Herausforderung der westlich pluralisti-
schen Welt dargestellt habe, die Nolte „liberales System" nennt. Auf
dem Boden dieses „liberalen Systems", das durch die Herausforderung der Revolution von 1917, durch den Krieg und seine politischen
und ökonomischen Folgen in eine Krise geraten sei, sei der Faschismus entstanden. Der Faschismus trete als Retter vor der bolschewistischen Bedrohung auf. Da aber das „liberale System" auch
die radikale Kritik des Marxismus dulde und ermögliche, werde es
vom Faschismus ebenfalls als Gegner angesehen. Der Faschismus sei
also in einem Bündnis der Liberalen und Konservativen, das sich
gegen den Kommunismus richtete, zur Macht gekommen, um dann
nicht nur den Marxismus, sondern auch das „liberale System" zu
vernichten. Die gleiche Taktik habe der Faschismus auch im internationalen Rahmen einzuschlagen gesucht, um ebenfalls Kommunismus und „liberales System" zu vernichten und eine Rasseordnung
zu errichten.
Der Faschismus ist also durch eine eigentümliche „Ambivalenz"[74] gekennzeichnet, er ist „revolutionäre Reaktion", „Gegenrevolution mit revolutionären Mitteln", weil er den Gegner mit
einer Ideologie und mit Methoden vernichten will, die zugleich „be-

---

[72] Vor allem in: Ernst Nolte, Die Krise des liberalen Systems und die
faschistischen Bewegungen, München 1968 (im folgenden: Nolte, Krise).
[73] Nolte, Faschismus, S. 51.
[74] Nolte, Krise, S. 87.

nachbart" und „radikal entgegengesetzt" sind. „Zum Bürgertum
stand der Faschismus in dem merkwürdigen Verhältnis einer nicht-
identischen Identität. Er machte sich zum Vorkämpfer der bürgerlichen Hauptintention: der Bekämpfung der marxistischen Revolu-
tionsversuche gegen die bürgerliche Gesellschaft im ganzen. Aber er
unternahm diese Bekämpfung mit Kräften, die den bürgerlichen
Denk- und Lebenstraditionen fremd waren."[75] Diese Ambivalenz
des Faschismus, die durch seine „eigentümliche Nähe zum Gegner"
bedingt sei, kennzeichne auch sein Verhältnis zu seinen ideologischen Vorläufern, denn die gegenrevolutionäre Tradition werde
gleichzeitig rezipiert und zerschlagen. Ambivalent seien auch die
antikapitalistischen Tendenzen, die alle faschistischen Bewegungen
im Anfangsstadium kennzeichnen, dann aber aufgegeben werden.
Ambivalent sei vor allem sein Verhältnis zur Nation, deren Rettung
die Faschisten proklamieren, um dann aber das nationale Prinzip
einer supranationalen kontinentalen Rasseordnung unterzuordnen.
Diese Charakterzüge und dieses Verhältnis der Ambivalenz seien jedoch bei allen Faschismen nicht in der gleichen Form und Ausprä-
gung vorhanden, so daß zwischen dem italienischen „Normal-" und
dem deutschen „Radikalfaschismus" zu unterscheiden sei, die beide
wiederum vom „Präfaschismus" und „Philofaschismus" in autoritären Regimes abzugrenzen seien.[76]
Diese differenzierende Typologie des Faschismus bzw. der Faschismen begründet Nolte folgendermaßen:
„Als faschistisch werden [...] alle Parteien, Bewegungen und Tendenzen bezeichnet, die offenkundig weiter rechts stehen, d. h. vor
allem auf radikalere Weise antikommunistisch sind, als die aus der
Zeit vor dem Weltkrieg bekannten rechtsgerichteten Parteien, die jedoch zugleich in sehr viel stärkerem Maße linke Elemente in sich
enthalten als diese. Ganz pragmatisch und äußerlich sind sie an ihrer
Vorliebe für Uniformen, ihrer Neigung zum Führerprinzip und
ihrer unverkennbaren Sympathie für Mussolini oder Hitler bzw. für
beide zu erkennen. Wenn nur einzelne dieser Kennzeichen deutlich
ausgeprägt sind, darf von Philofaschismus oder Halbfaschismus ge-
sprochen werden, wo bei einer Partei mit andersartigen Wurzeln ein
einzelnes dieser Momente stark hervortritt (z. B. das Prinzip der

---

[75] Ebd.
[76] Dazu: Hans-Ulrich Thamer/Wolfgang Wippermann, Faschistische
und neofaschistische Bewegungen, Darmstadt 1977, bes. S. 232; Wolfgang
Wippermann, Europäischer Faschismus im Vergleich, Frankfurt a. M. 1983.

bewaffneten Parteiarmee), ist unter Umständen die Bezeichnung Pseudofaschismus angebracht. Wo alle wesentlichen Momente nur in Ansätzen vorhanden sind, empfiehlt sich der Terminus Protofaschismus. Es ließe sich mithin die vorgeschlagene geographische Reihenfolge als ein Weg vom Proto- und Halbfaschismus über den in verschiedenen Stufen vollausgebildeten Faschismus zu einem lauwarmen Philofaschismus verstehen."[77]

Die anfänglich weitverbreitete Zustimmung wich bald einer immer schärfer werdenden Kritik an der historisch-phänomenologischen Faschismustheorie und Faschismusforschung von Ernst Nolte. Dabei hat sich diese (übrigens von links und rechts vorgetragene) Kritik vor allem auf die als geistesgeschichtlich angesehene Methode, seine Charakterisierung der Zwischenkriegszeit als „Epoche des Faschismus" und seine sogenannte transpolitische Definition des Faschismus als Widerstand gegen die „praktische" (= Emanzipation) und „theoretische Transzendenz" (= Heilserwartung der Menschen) konzentriert.[78]

Verschiedene Forscher, allen voran Karl Dietrich Bracher, warfen Nolte vor, daß die von ihm eingeleitete Renaissance eines generellen Faschismusbegriffs einerseits zu einer Bagatellisierung des „deutschen Faschismus" und andererseits zu einer Infragestellung des Totalitarismusbegriffs geführt habe.[79] Gerade letzteres hielt Bracher für äußerst gefährlich, weil sie eine Schwächung der „wehrhaften Demokratie" gegenüber antidemokratischen, vor allem kommunistischen Ideologien und Strömungen hervorgerufen habe.

Nolte scheint gerade diesen Vorwurf ernstgenommen zu haben. Schon 1978 distanzierte er sich de facto von seinen früheren Thesen mit der Behauptung bzw. Selbstinterpretation, daß sein Buch ›Der Faschismus in seiner Epoche‹ ein „Beitrag zur Vertiefung und Be-

---

[77] Nolte, Krise, S. 434 f.

[78] Dazu vor allem: Thomas Nipperdey, Der Faschismus in seiner Epoche. Zu den Werken von Ernst Nolte zum Faschismus, in: Historische Zeitschrift 210, 1970, S. 620–638, bes. S. 629.

[79] Karl Dietrich Bracher, Zeitgeschichtliche Kontroversen. Um Faschismus, Totalitarismus, Demokratie, München 1976, bes. S. 13 ff. Noch schärfer: Karl Dietrich Bracher, Der Faschismus, in: Meyers Enzyklopädisches Lexikon, Bd. 8, München 1973, S. 547–551. Hier wirft Bracher Nolte vor, die „Renaissance des Faschismusbegriffs im Sinne eines Kampfbegriffs", wenn auch ungewollt, „begünstigt, ja legitimiert" zu haben (S. 547).

reicherung des Totalitarismusbegriffs und keineswegs ein Versuch zu dessen 'Überwindung' gewesen" sei.[80] Genauso entschieden wie Bracher bekannte er sich hier zur „kapitalistischen Gesellschaft", weil sie die „einzige Art der freiheitlichen Gesellschaft" sei und wies auf verschiedene Ähnlichkeiten zwischen den „totalitären" Systemen in Deutschland und Rußland hin.[81] Seitdem hat Nolte in verschiedenen Publikationen die These vertreten, daß das totalitäre Regime in Rußland nicht nur früher entstanden, sondern auch terroristischer als der Nationalsozialismus gewesen sei, der „vielleicht nur deshalb" Verbrechen (Nolte spricht von einer „asiatischen Tat") begangen habe, weil er sich vom Bolschewismus bedroht fühlte.[82]

---

[80] Ernst Nolte, Despotismus – Totalitarismus – Freiheitliche Gesellschaft. Drei Grundbegriffe im westlichen Selbstverständnis, in: ders., Was ist bürgerlich? Und andere Artikel, Abhandlungen, Auseinandersetzungen, Stuttgart 1979, S. 114–133, S. 123 f.

[81] A. a. O. S. 129.

[82] Vgl. dazu und zur Kritik an diesen Thesen Noltes: 'Historikerstreit' – Die Dokumentation der Kontroverse um die Einzigartigkeit der nationalsozialistischen Judenvernichtung, München 1987. Darauf soll hier nicht weiter eingegangen werden, weil es in diesem 'Historikerstreit' nur am Rande um die vergleichende Faschismusforschung geht. Zur Kritik vor allem von Saul Friedländer an dem Gebrauch eines allgemeinen Faschismusbegriffes siehe unten Kap. 3.3, S. 101 ff.

3. FASCHISMUSTHEORIEN
IN KRITISCHER PERSPEKTIVE

„Faschismus definieren, heißt zuallererst die Geschichte des Faschismus schreiben."[1] Diese Mahnung Angelo Tascas ist leider von vielen selbsternannten Faschismustheoretikern der 70er Jahre nicht beachtet worden. Die Hinweise, die etwa Arkadij Gurland und vor allen Dingen Ernst Nolte mit seiner Typologie für eine vergleichende Faschismusforschung gegeben haben,[2] sind kaum beachtet worden. Statt dessen kam es innerhalb der publizistischen und scheinbar wissenschaftlichen Faschismusdiskussion auch in den westlichen Ländern zu einer ebenso grotesken wie politisch gefährlichen Inflationierung des Faschismusbegriffs.[3]

Diese Inflationierung des Faschismusbegriffs rief natürlich viele Kritiker auf den Plan. Viele von ihnen begnügten sich jedoch nicht mit der Kritik des inflationären Gebrauchs, sondern hielten und halten nach wie vor den (generischen) Faschismusbegriff für falsch und – vor allem – für politisch gefährlich.

Tatsächlich steht das politische Moment bei vielen im Vordergrund. Sofern es sich nicht um persönliche Momente handelte – man war es einfach leid, von seinen Studenten als 'Faschist' oder zumindest als 'faschistoid' beschimpft zu werden –, wies man darauf hin, daß diese Verwendung des Faschismusbegriffes zu einer Verharmlosung des 'echten' Faschismus italienischer oder auch deutscher 'Prägung' einerseits, zu einer sachlich und politisch unzulässigen Dämonisierung bestimmter Erscheinungen in demokratisch-parlamentarischen Staaten andererseits führe.[4] Diese Kritik ist

---

[1] Angelo Tasca, Glauben, Gehorchen, Kämpfen. Der Aufstieg des Faschismus, Wien 1969, S. 374 (ital. 1950).

[2] Zu Gurland vgl. oben Kap. 1.2, S. 33; zu Nolte Kap. 2.5, bes. S. 89 f.

[3] Vgl. oben ›Einleitung‹, S. 7 f.

[4] Ganz dezidiert vor allem von: Karl Dietrich Bracher, Zeitgeschichtliche Kontroversen. Um Faschismus, Totalitarismus, Demokratie, München 1976, bes. S. 13 ff.; ders., Schlüsselwörter in der Geschichte, Düsseldorf 1978, bes. S. 119 ff.; ders., Die Krise Europas 1917 bis 1975, Berlin 1976, S. 34 ff.

angesichts der geschilderten uferlosen Verwendung des Faschismusbegriffs berechtigt. Problematisch ist es jedoch, wenn man aus
diesen ausschließlich politischen Gründen die Verwendung des Faschismusbegriffs ablehnt. In geradezu 'klassischer' und daher auch
viel zitierter Form hat dies Henry Ashby Turner getan, der mit den
folgenden Worten ein Grundaxiom der marxistischen Faschismusdiskussion angriff: „Entspricht die weit verbreitete Ansicht, daß der
Faschismus ein Produkt des modernen Kapitalismus ist, den Tatsa-
chen, dann ist dieses System kaum zu verteidigen."[5]

Abgesehen von derartigen, mehr oder minder offen ausgespro-
chenen, politischen Momenten findet man folgende Argumente, die
gegen die Verwendung eines allgemeinen Faschismusbegriffs und
der damit verbundenen Faschismustheorien vorgebracht werden:
1. die These, daß die Unterschiede zwischen den einzelnen Faschismen, vor allem zwischen dem Nationalsozialismus und dem italienischen Faschismus, so groß sind, daß man statt dessen differenzie-
rend nur vom Nationalsozialismus, (italienischen) Faschismus, der
kroatischen Ustascha, den ungarischen Pfeilkreuzlern etc. sprechen
sollte;
2. die These, daß Totalitarismustheorien besser als Faschismustheorien geeignet sind, die historisch-politische Wirklichkeit zu erklären;
3. die These, daß durch die Anwendung des Faschismusbegriffs auf
das Dritte Reich die grundsätzlich singuläre Rassenpolitik dieses
Regimes relativiert und verharmlost wird;
4. die These, daß Faschismustheorien viel zu abstrakt seien, um die
Auswirkungen der 'großen Politik' darstellen und eine 'emotionale
Betroffenheit' hervorrufen zu können.

3.1 Fascismo statt Faschismus

Wenn die Kritiker mit ihrer Behauptung recht hätten, daß die Unterschiede zwischen den einzelnen Faschismen größer sind als die
Gemeinsamkeiten, dann müßte man in der Tat auf die Verwendung
eines allgemeinen Faschismusbegriffs verzichten. Um ganz genau zu
sein, müßte man dann anstelle des allgemeinen Begriffs Faschismus
das italienische Wort 'fascismo' als Lehnwort verwenden. Die Frage,

[5] Henry Ashby Turner, Faschismus und Kapitalismus in Deutschland,
Göttingen 1972, S. 7.

ob die Unterschiede wirklich größer als die Gemeinsamkeiten sind, kann nur durch umfassende vergleichende Untersuchungen beantwortet werden.[6] Derartige Untersuchungen sind jedoch von den Kritikern der Verwendung eines allgemeinen Faschismusbegriffs nicht vorgelegt worden. Statt dessen haben sie sich in der Regel damit begnügt, einige Thesen und Behauptungen von Theoretikern des Faschismus herauszugreifen und zu widerlegen.

Der italienische Faschismusforscher Renzo De Felice hat sich mit folgender Begründung gegen den Gebrauch eines allgemeinen Faschismusbegriffs gewandt.[7] Der italienische Faschismus habe sich im Unterschied zum Nationalsozialismus nicht auf absteigende, sondern auf aufsteigende soziale Schichten gestützt. Er habe daher einen anderen, viel moderneren Charakter als der Nationalsozialismus. Wie bereits erwähnt wurde, sind beide Behauptungen De Felices nicht zutreffend. Der Nationalsozialismus wurde keineswegs nur von Angehörigen des 'alten Mittelstandes', sondern auch von Angestellten, Beamten und Angehörigen der technischen und wissenschaftlichen Intelligenz, die De Felice zu den aufsteigenden Schichten zählt, gewählt und unterstützt. Das Dritte Reich hatte auch bestimmte moderne (natürlich nicht: fortschrittliche) Züge. Sie waren hier zumindest genauso stark ausgeprägt wie im faschistischen Italien. Doch selbst wenn De Felice recht hätte, dann wären allenfalls Theorien widerlegt, nach denen sich 'der' Faschismus primär auf den 'alten Mittelstand' gestützt und eine antimodernisti-

[6] Zu dieser Fragestellung außer den Arbeiten von Nolte vor allem: Francis L. Carsten, Der Aufstieg des Faschismus in Europa, Frankfurt a. M. 1968; Fascism and Europa. An International Symposium, Bd. 1–2, Prag 1970; Walter Laqueur/George L. Mosse (Hrsg.), Internationaler Faschismus 1920–1945, München 1966 (engl. 1966); Stein U. Larsen u. a. (Hrsg.), Who were the Fascists? Social Roots of European Fascism, Bergen 1980; Stanley G. Payne, Fascism. Comparison and Definition, Madison 1980; Wolfgang Schieder, Faschismus, in: Sowjetsystem und Demokratische Gesellschaft, Bd. 2, Freiburg i. Br. 1968, Sp. 439–477; ders. (Hrsg.), Faschismus als soziale Bewegung. Deutschland und Italien im Vergleich, Hamburg 1976; Hans-Ulrich Thamer/Wolfgang Wippermann, Faschistische und neofaschistische Bewegungen, Darmstadt 1977; Eugen Weber, Varieties of Fascism. Doctrines of Revolution in the 20th Century, London 1964; Wolfgang Wippermann, Europäischer Faschismus im Vergleich, Frankfurt a. M. 1983; Stuart J. Woolf (Hrsg.), European Fascism, London 1968.

[7] Renzo De Felice, Der Faschismus. Ein Interview mit Michael A. Ledeen, Stuttgart 1977; vgl. dazu oben Kap. 2.3, S. 71 ff.

sche Zielsetzung vertreten hat. De Felice hätte allenfalls zwei Varianten der Faschismustheorie, nicht jedoch die Legitimität eines allgemeinen Faschismusbegriffs widerlegt.

Noch problematischer ist die Kritik, die von Bernd Martin an der Tauglichkeit eines allgemeinen Faschismusbegriffs vorgebracht worden ist.[8] Martin geht von der Behauptung aus, daß Anhänger eines allgemeinen Faschismusbegriffs nicht nur das faschistische Italien und das nationalsozialistische Deutschland, sondern auch das Japan der 30er und 40er Jahre als 'faschistisch' klassifiziert hätten. Tatsächlich behaupten nur wenige Forscher, daß die Militärdiktatur unter General Tojo 'faschistisch' sei.[9] In Japan hat es nämlich keine als 'faschistisch' zu bezeichnende Massenpartei gegeben. Martin schließt sich dieser Auffassung an und meint, damit die Untauglichkeit des generischen Faschismuskonzepts bewiesen zu haben.

Zu kritisieren sind schließlich auch die Alternativen, die in diesem Zusammenhang von Forschern wie Allardyce, Bracher, De Felice, Hildebrand, Turner u. a. vorgeschlagen werden.[10] Der eine Alternativvorschlag lautet: Nicht nur auf einen allgemeinen Faschismusbegriff, sondern auch auf Faschismustheorien zugunsten einer, was immer das sein mag, rein empirischen Forschung zu verzichten. Dem ist entgegenzuhalten: Es darf innerhalb der Geschichtswissenschaft weder nur abstrakte Theorien noch 'theorielose' Forschungen geben. Wenn man nicht bereit ist, Fragestellungen, Methoden, heuristische Theorieansätze oder „Theorien mittlerer Reichweite"[11] anzugeben, von denen man, bewußt oder unbewußt, ausgeht, besteht die Gefahr einer ideologischen Verschleierung und Verzerrung der zu erklärenden Wirklichkeit.

Einige der genannten Kritiker der Verwendung von Faschismusbegriffen und Faschismustheorien fordern neben der Beschränkung

---

[8] Bernd Martin, Zur Tauglichkeit eines übergreifenden Faschismus-Begriffs. Ein Vergleich zwischen Japan, Italien und Deutschland, in: Vierteljahreshefte für Zeitgeschichte 29, 1981, S. 48–73.

[9] So: Masao Maruyama, Thought and Behavior in Modern Japanese Politics, Oxford 1963.

[10] Gilbert Allardyce, What Fascism is Not: Thoughts on the Deflation of a concept, in: American Historical Review 84, 1979, S. 367–388; Bracher (wie Anm. 4); De Felice (wie Anm. 7); Klaus Hildebrand, Das Dritte Reich, München 1979, bes. S. 123 ff.; Turner (wie Anm. 5), bes. S. 157 ff.

[11] Vgl. dazu: Hans-Ulrich-Wehler, Geschichte als historische Sozialwissenschaft, Frankfurt a. M. 1973, S. 31.

auf eine rein empirische Forschung gleichzeitig die Orientierung an bestimmten Totalitarismustheorien, ohne zu bemerken, daß sie sich selber widersprechen, wenn sie einerseits rein empirisch vorgehen wollen, andererseits aber doch für die Verwendung von Totalitarismustheorien plädieren. Dies leitet zu der grundsätzlichen und die heutige Diskussion prägenden Frage über, ob man zugunsten von Totalitarismus- auf Faschismustheorien verzichten soll.

3.2 Totalitarismus statt Faschismus

Die aus der konservativen und liberalen Faschismusdiskussion erwachsenen Totalitarismustheorien waren und sind (wie die Faschismustheorien) politisch ziel- und zweckgerichtet. Sie basieren auf dem positiven Bekenntnis zu den Prinzipien und Grundlagen der parlamentarischen Demokratie und zugleich auf der Abgrenzung und Bekämpfung von sowohl antiparlamentarischen wie – im liberalen Sinne – antidemokratischen Parteien und Regimen. Als wichtigstes Differenzierungsmerkmal bei der Beurteilung moderner Staaten und Parteien gelte, wie es Karl Dietrich Bracher formuliert hat, das „Kriterium der politischen Freiheit"[12]. Derartige Aussagen sind offenkundig politisch motiviert. Sie dienen der Verteidigung des eigenen und der Bekämpfung des jeweils fremden und feindlichen Systems. Kurz – 'Totalitarismus' war und ist zunächst und vor allem ein politischer Kampfbegriff.

Die Totalitarismusdiskussion erreichte ihren ersten Höhepunkt während der Zeit des Hitler-Stalin-Paktes 1939–1941.[13] Gerade das Bündnis zwischen dem Kommunisten Stalin und dem Nationalsozialisten Hitler, der wiederum mit dem Faschisten Mussolini verbündet war, schien die Richtigkeit der – Faschismus- und Kommunismus weitgehend identifizierenden – Totalitarismustheorie zu

[12] Bracher, Zeitgeschichtliche Kontroversen, S. 32.
[13] Vgl. zum folgenden die Sammelbände und Überblicke von: Martin Greiffenhagen/Reinhard Kühnl/Johann Baptist Müller, Totalitarismus. Zur Problematik eines politischen Begriffs, München 1972; Klaus Hildebrand, Stufen der Totalitarismusforschung, in: Politische Vierteljahrsschrift 9, 1968, S. 397–422; Martin Jänicke, Totalitäre Herrschaft. Anatomie eines politischen Begriffs, Berlin 1971; Walter Schlangen, Die Totalitarismus-Theorie. Entwicklung und Probleme, Stuttgart 1976; Bruno Seidel/Siegfried Jenkner (Hrsg.), Wege der Totalitarismusforschung, Darmstadt 1968.

bestätigen. Nach der Bildung der Anti-Hitler-Koalition zwischen den parlamentarisch-demokratischen Westmächten und der kommunistischen Sowjetunion galt dagegen nicht der sowjetische Bundesgenosse, sondern der Achsenpartner Japan als totalitär.

Nach dem Ausbruch des Kalten Krieges änderte sich das Bild erneut. Jetzt waren es nicht mehr die ehemaligen Kriegsgegner Deutschland, Italien und Japan, sondern die Sowjetunion und ihre Satellitenstaaten, zu denen auch China gerechnet wurde, die als totalitär angesehen wurden. Die Totalitarismustheorie wurde gewissermaßen zur Doktrin des westlichen Verteidigungsbündnisses im allgemeinen, der Bundesrepublik im besonderen. In der Bundesrepublik war es nicht nur das Gefühl, vom aggressiven und totalitären Sowjetblock bedroht zu sein, sondern darüber hinaus das Bestreben, sich sowohl vom totalitären ostdeutschen Teilstaat wie vom zerschlagenen totalitären Dritten Reich abzugrenzen. Die Totalitarismusdoktrin übernahm hier den Rang und die Funktion einer integrativen Zwecken dienenden Staatsideologie.

Wiederum parallel zum Abflauen des Kalten Krieges im Zeichen der Entspannungspolitik kam es in den 60er und 70er Jahren in verschiedenen westlichen Ländern, vor allem in der Bundesrepublik, zu einer kritischen Infragestellung der Totalitarismustheorie. Diese Kritik wurde einmal mit politischen Argumenten geführt. So wies man auf die politische Funktion der Totalitarismustheorien in Vergangenheit und Gegenwart hin und stellte die Frage, ob sie im Rahmen der globalen Entspannungspolitik noch zeitgemäß und zweckmäßig seien. Derartige politische Argumente standen jedoch keineswegs im Mittelpunkt; denn generell ist anzumerken, daß politische Funktionalisierungen von Theorien nicht unbedingt gegen ihre wissenschaftliche Bedeutung und Richtigkeit sprechen. Die Frage, ob eine sozialwissenschaftliche Theorie richtig oder falsch, anwendbar oder nichtanwendbar ist, kann nur durch die empirische Forschung entschieden werden.[14]

Die empirische Totalitarismusforschung sah sich von Anfang an mit dem Problem konfrontiert, daß die vorherrschende Totalitarismustheorie im Sinne von Friedrich und Brzezinski einen idealtypischen und daher notwendigerweise statischen Charakter hatte.

---

[14] Dazu den vorzüglichen Aufsatz von: Uwe Dietrich Adam, Anmerkungen zu methodologischen Fragen in den Sozialwissenschaften: Das Beispiel Faschismus und Totalitarismus, in: Politische Vierteljahrsschrift 16, 1975, S.55–88.

Wandlungen innerhalb des sog. Sowjetblocks wie die weitgehende
Abkehr erst Jugoslawiens, dann vor allem Chinas vom sowjetischen
Vorbild sowie die als Entstalinisierung bezeichneten Veränderungen
innerhalb der Sowjetunion selber nach dem XX. Parteitag waren in
dieser Theorie nicht vorgesehen. Man suchte nach Auswegen.[15]

Der eine war, die Theorie an die sich verändernde Realität gerade
in den kommunistischen Staaten anzupassen. So gab Martin Drath
zu, daß die Elemente des Totalitarismusmodells von Friedrich und
Brzezinski – Terror, Massenpropaganda und Einparteienherrschaft –
in den kommunistischen Gesellschaften an Bedeutung verloren
hätten.[16] Doch sie seien nur die variablen „Sekundärphänomene"
des Totalitarismus. Als immer noch vorhandenes „Primärphä-
nomen" bezeichnete Drath das allen totalitären Diktaturen gemeinsame Ziel, „ein neues gesellschaftliches Wertungssystem durchzusetzen, das bis in die Metaphysik hinein fundiert wird".[17] Andere
Kommunismusforscher schlugen dagegen vor, die Anwendung der
Totalitarismustheorie auf eine bestimmte Phase in der Entwicklung
der Sowjetunion zu begrenzen.[18] Gemeint war natürlich die Phase
des Stalinismus, als die Sowjetunion versuchte, mit schrankenlos
terroristischen Methoden sowohl das ideologische Ziel der klassen-
losen Gesellschaft anzustreben wie die 'eigentlich' dazu notwendigen sozioökonomischen Voraussetzungen zu schaffen, d.h., die
Industrialisierung des immer noch zurückgebliebenen Landes vor-
anzutreiben. Andererseits vertraten diese Kommunismusforscher,
zu denen vor allem Peter Christian Ludz und Richard Löwenthal zu
zählen sind, die These, daß sich nach der Phase des Stalinismus verschiedene kommunistische Staaten unter den Bedingungen und
Zwängen der modernen Industriegesellschaft zu bloß autoritären
Regimen zurückgebildet hätten.[19] Andere Kommunismusforscher

[15] Gerade diese Debatte ist dokumentiert in: Seidel/Jenkner (Hrsg.),
Wege der Totalitarismusforschung.

[16] Martin Drath, Totalitarismus in der Volksdemokratie. Einleitung zu:
Ernst Richert, Macht ohne Mandat. Der Staatsapparat der sowjetischen Be-
satzungszone Deutschlands, Köln–Opladen 1958; auch in: Seidel/Jenkner
(Hrsg.), Wege der Totalitarismusforschung, S. 310–358.

[17] A.a.O. S. XXV.

[18] So vor allem: Werner Hofmann, Die Arbeitsverfassung der Sowjetunion, Berlin 1956.

[19] Peter Christian Ludz, Entwurf einer soziologischen Theorie totalitär
verfaßter Gesellschaften, in: ders. (Hrsg.), Soziologie der DDR. Studien
und Materialien zur Soziologie der DDR, Köln–Opladen 1964; auch in:

wie z. B. Arkadij Gurland schlugen in diesem Zusammenhang sogar
vor, auf die induktive Anwendung von Totalitarismustheorien zugunsten einer empirisch beschreibenden Forschung zu verzichten.[20]

Ein weiterer Anstoß zu Kritik und Revision der globalen Totalitarismustheorie kam von der Nationalsozialismusforschung. Verschiedene Historiker, genannt seien vor allem Hans Mommsen und
Martin Broszat, stellten nämlich fest, daß das Dritte Reich keineswegs so monolithisch-totalitär strukturiert gewesen war, wie dies im
Totalitarismusmodell von Friedrich und Brzezinski postuliert
wurde.[21] Statt dessen sei es zu ständigen Kompetenzkonflikten zwischen den Institutionen der Partei, der Bürokratie, der Wehrmacht
und der Wirtschaft gekommen. Daher habe das Dritte Reich einen
eher polykratischen, ja, anarchischen Charakter gehabt. Damit
wurden zugleich Bedeutung und Funktion Hitlers in Frage gestellt.
Während Peter Hüttenberger in diesem Zusammenhang die Ansicht
vertrat, daß Hitler zwar die Außenpolitik geprägt und kontrolliert
habe, während seine „tatsächliche Herrschaft in der Wirtschafts-,
Sozial- und Kulturpolitik begrenzt, wenn nicht gar oft inexistent"
gewesen sei,[22] hat Hans Mommsen Hitler gar als einen „entschei-
dungsunwilligen, häufig unsicheren, ausschließlich auf Wahrung
seines Prestiges und seiner persönlichen Autorität bedachten, aufs
stärkste von der jeweiligen Umgebung beeinflußten, in mancher
Hinsicht schwachen Diktator" charakterisiert.[23]

Gerade diese pointierte, wohl auch überspitzt formulierte Bemerkung Hans Mommsens rief sehr bald eine immer schärfer werdende

Seidel/Jenkner (Hrsg.), Wege der Totalitarismusforschung, S.532–599;
Richard Löwenthal, Totalitäre und demokratische Revolution, in: Der
Monat 13, 1960/61, H. 146, S. 29–40; auch in: Seidel/Jenkner (Hrsg.), Wege
der Totalitarismusforschung, S.359–381.

[20] Arkadij R. L. Gurland, Einleitung zu: Max Gustav Lange, Totalitäre
Erziehung, Frankfurt a. M. 1954; auch in: Seidel/Jenkner (Hrsg.), Wege der
Totalitarismusforschung, S.229–266.

[21] Hans Mommsen, Beamtentum im Dritten Reich, München 1969; und
andere Publikationen; Martin Broszat, Der Staat Hitlers, München 1969;
und andere Publikationen. Vgl. zum folgenden auch: Wolfgang Wippermann, Einleitung, zu: ders. (Hrsg.), Kontroversen um Hitler, Frankfurt
a. M. 1986, S. 70ff.

[22] Peter Hüttenberger, Nationalsozialistische Polykratie, in: Geschichte
und Gesellschaft 2, 1976, S.417–442, bes. S.422.

[23] Hans Mommsen, Nationalsozialismus, in: Sowjetsystem und demokratische Gesellschaft, Bd.4, Freiburg i. Br. 1971, Sp.695–713, Sp.702.

Kritik hervor.[24] Sie war von Anfang an untrennbar mit der Kritik an der Verwendung eines allgemeinen Faschismusbegriffes verbunden.[25] In den letzten Jahren ist es zu einer gewissen Renaissance der Totalitarismustheorie gekommen.[26] Maßgebend dafür sind verschiedene, wiederum vor allem politische Gründe.

Zunächst und vor allem war es die Enttäuschung über die als unzureichend angesehenen Erfolge der Entspannungspolitik, dann fielen die als aggressiv und völkerrechtswidrig bezeichneten Aktionen der Sowjetunion in der Tschechoslowakei und Afghanistan ins Gewicht. Hinzu kam die Befürchtung, daß die Aufgabe der Totalitarismustheorie zu einer Verringerung der Abwehrbereitschaft gegenüber kommunistischen Ideologien führen werde. Das temporäre Wachsen von linksextremistischen und immer terroristischer werdenden Gruppen in einigen Ländern schien für diese Befürchtung zu sprechen, obwohl es mehr als zweifelhaft ist, daß die Linksextremisten in der Bundesrepublik, Frankreich und Italien von der Sowjetunion politische und materielle Unterstützung erhalten.

Von einigen Politikern und politisierenden Historikern wurde jedoch auch die ebenfalls terroristisch gewordene Aktivität von rechtsextremistischen Gruppierungen zum Anlaß genommen, um ganz dezidiert für die Rückbesinnung auf die Totalitarismustheorie

---

[24] Vgl. vor allem die Beiträge von Hildebrand, H. Mommsen und Tim Mason in: Georg Hirschfeld/Lothar Kettenacker (Hrsg.), Der 'Führerstaat': Mythos und Realität. Studien zur Struktur und Politik des Dritten Reiches, Stuttgart 1981.

[25] Vgl. dazu: Totalitarismus und Faschismus. Eine wissenschaftliche und politische Begriffskontroverse. Colloquium am Institut für Zeitgeschichte, München 1980.

[26] Beispielhaft: Uwe Backes/Eberhard Jesse, Totalitarismus, Extremismus, Terrorismus. Ein Literaturführer und Wegweiser im Lichte deutscher Erfahrung, Opladen 1984; Georg Stadtmüller, Sozialismus – National-Sozialismus – Faschismus, München 1981; Hermann Lübbe, Totalitarismus – ein entspannungsfeindlicher Begriff? In: ders., Endstation Terror. Rückblick auf lange Märsche, Stuttgart 1978, S. 119–122. Unverkennbar ist die Renaissance der Totalitarismustheorie auch in Frankreich. Vgl. etwa: Jean-François Revel, La tentation totalitaire, Paris 1975 (dt.: Die totalitäre Versuchung, Frankfurt a. M. 1976); ders., Comment les democraties finissent, Paris 1983; André Glucksmann, La force du vertige, Paris 1983 (dt.: Philosophie der Abschreckung, Stuttgart 1984). Zu den im folgenden erwähnten politischen Momenten: Wippermann, Einleitung, S. 70 ff. Beispiele vor allem in: Backes/Jesse, Totalitarismus, S. 67 ff.

innerhalb von Forschung und politischer Bildung zu plädieren. Anderen Politikern und Historikern geht die ihres Erachtens zu intensive Beschäftigung von Teilen gerade der deutschen Intelligenz und
Jugend mit der neonazistischen Gegenwart und nazistischen Vergangenheit zu weit. Sie wollen darin sowohl eine Schwächung der
antikommunistischen Abwehrbereitschaft wie des nationalen Selbst-
bewußtseins sehen, das durch die ständige und selbstkritische Auseinandersetzung gerade mit dem Dritten Reich gefährdet und ver-
ringert werde. Sie meinen, daß die von Stalin oder auch von Pol Pot
begangenen Verbrechen mindestens genauso 'schlimm' wie die Hitlers gewesen seien.

Man mag zu diesen im Zeichen der Totalitarismustheorie stehenden vergleichenden Aufrechnungen stehen wie man will,
wichtig ist, daß es die Befürworter der Totalitarismustheorie bisher
weitgehend versäumt haben, eine wissenschaftlichen Ansprüchen
genügende vergleichende Totalitarismusforschung zu betreiben.
Nur so kann nämlich die Frage beantwortet werden, ob Totalita-
rismus- besser als Faschismustheorien geeignet sind, die Empirie zu
erklären. Doch ob die zwischen faschistischen und kommunistischen Regimen vergleichbaren Herrschaftsmethoden ausreichen,
um die im Hinblick auf Voraussetzungen und Zielsetzungen grund-
verschiedenen historischen Phänomene als totalitär zu bezeichnen
und damit weitgehend gleichzusetzen, muß schon jetzt grundsätzlich bezweifelt werden. Unbezweifelbar ist schließlich, daß die Unterschiede zwischen den einzelnen 'totalitären' Regimen (Sowjetunion, Drittes Reich etc.) noch größer sind als die zwischen den
'faschistischen' Staaten in Deutschland und Italien.[27]

3.3 Faschismus und nationalsozialistischer Rassismus

Sehr ernst zu nehmen ist der Vorwurf, daß Historiker, die an
einem allgemeinen Faschismusbegriff festhalten und Faschismustheorien verwenden, gewollt oder ungewollt, direkt oder indirekt

---

[27] Vorzügliche und keineswegs überholte Diskussion der Vor- und
Nachteile des Totalitarismuskonzepts bei: Wolfgang Sauer, National Socialism: Totalitarianism or Fascism?, in: American Historical Review 73, 1967,
S. 404–424. Siehe auch: Karl Dietrich Erdmann, Nationalsozialismus – Faschismus – Totalitarismus, in: Geschichte in Wissenschaft und Unterricht
27, 1976, S. 457–469.

eine aufrechnende Verharmlosung der nationalsozialistischen Rassenpolitik hervorrufen oder gar anstreben. In dezidierter und scharfer Form wird dieser Vorwurf von Saul Friedländer erhoben: „Der Nazismus ist für die marxistische Geschichtsschreibung ein Hindernis, über das sie immer wieder stolpert. Man kann die Entstehung der Bewegung in gesellschaftlichen Kategorien, die Machtergreifung aus wirtschaftlichen Interessen erklären. Aber danach scheint nichts mehr diesem Schema zu entsprechen. Will man daran festhalten, muß man folgendes ausklammern: die zentrale Rolle Hitlers, die Grundlagen seiner Rassenpolitik, seinen Krieg im Westen, besonders die Kriegserklärung an die Vereinigten Staaten, und schließlich seine Politik der Judenverfolgung. [...] Es [gemeint ist der marxistische und offensichtlich jeder faschismustheoretische Ansatz] bedeutet nichts anderes als eine bis zum Exzeß getriebene Normalisierung aufgrund eines vorgefaßten Begriffsrahmens."[28]

Friedländers Kritik ist, leider, möchte ich sagen, nicht unberechtigt. Es gibt innerhalb der marxistischen Faschismusforschung erschreckende Versuche, Auschwitz mit den „Verwertungsschwierigkeiten des Kapitals" zu erklären und damit gewissermaßen 'wegzurationalisieren'.[29] Es besteht auch kein Zweifel, daß viele marxistische Faschismusforscher die Bedeutung der antisemitischen Ideologie und der Judenpolitik im Dritten Reich unter- und damit falsch eingeschätzt haben, weil sie eben die prokapitalistische Funktion 'des' Faschismus für wichtiger hielten und im Antisemitismus nur eine systemstabilisierende „Verschleierungsideologie", nur „falsches Bewußtsein" sehen wollten.[30]

Kritisch zu Friedländers Kritik ist jedoch folgendes anzumerken: 1. Versuche, den Nationalsozialismus durch aufrechnende Vergleiche mit anderen Erscheinungen zu 'normalisieren', wurden und

[28] Saul Friedländer, Kitsch und Tod. Der Widerschein des Nazismus, München 1984, S. 112 f.

[29] Vgl. dazu: Konrad Kwiet, Historians of the German Democratic Republic on Antisemitism and Persecution, in: Year Book of the Leo Baeck Institute 24, 1979, S. 37–60.

[30] So auch: Wolfgang Fritz Haug, Antisemitismus in marxistischer Sicht, in: Herbert A. Strauss/Norbert Kampe (Hrsg.), Antisemitismus. Von der Judenfeindschaft zum Holocaust, Frankfurt a.M.–New York 1985, S. 234–255; ders., Die neuen Deutungskämpfe um Anti-Faschismus. Eine Untersuchung zur neokonservativen Offensive im Spiegel der 'Frankfurter Allgemeinen', in: Das Argument 158, 1986, S. 502–526.

werden keineswegs nur von (marxistischen und nichtmarxistischen) Historikern betrieben, die an einem allgemeinen Faschismusbegriff festhalten und Faschismustheorien verwenden. Auch der von Anhängern der idealtypischen Totalitarismustheorie vorgeschlagene Vergleich zwischen der Judenverfolgung im Dritten Reich und der Kulakenverfolgung in der Sowjetunion führt zu einer verharmlosenden Aufrechnung der „Endlösung der Judenfrage".[31]

2. Der von Friedländer in diesem Zusammenhang favorisierte hitlerzentristische Ansatz ist ebenfalls nicht geeignet, die nationalsozialistische Juden- und Rassenpolitik zu erklären. Gerade hitlerzentristische Darstellungen zeichnen sich oftmals durch eine gewisse verharmlosende Aufrechnung aus, was Friedländer selber am Beispiel der Hitler-Biographien von Fest und Maser nachweist.[32]

3. Fragwürdig scheint mir ferner Friedländers These, daß die Methode des Vergleichs, ja, Faschismustheorien generell nicht geeignet seien, den Nationalsozialismus zu erklären: „Der emotionale Bann, in den Hitler und seine Bewegung so viele Deutsche noch bis ans bittere Ende und weit über Deutschlands Grenzen hinaus schlug, die Magie, die bei so vielen Menschen eine wahre Mutation ihres Lebens auslöste, das alles entzieht sich Interpretationsversuchen herkömmlicher Art und kann niemals kohärent im Rahmen einer Geschichtsschreibung erklärt werden, in der politische, gesellschaftliche oder wirtschaftliche Erklärungen den Ton angeben."[33]

Gleichwohl hat Friedländer auf ein Kernproblem innerhalb der gegenwärtigen Diskussion über das Faschismusproblem hingewiesen. Es ist die Frage, ob der Nationalsozialismus bzw., um Noltes differenzierende Terminologie anzuwenden, ob der deutsche „Radikalfaschismus" wegen seiner Rassenpolitik einen völlig anderen Charakter hatte als die übrigen Faschismen, einschließlich des italienischen „Normalfaschismus". Auf den ersten Blick scheint alles dafür zu sprechen, diese Frage zu bejahen. Die nationalsozialistische 'Endlösung der Judenfrage' hatte im Hinblick auf Quantität und bürokratisch-fabrikmäßige Brutalität zweifellos einen

---

[31] Dies wird in dem oben Kap. 2.5, S. 91 erwähnten sog. 'Historikerstreit' m. E. nicht hinreichend berücksichtigt. Alle Anhänger der Totalitarismustheorie (auch israelische!) haben damit die Singularität der 'Endlösung der Judenfrage' bestritten.

[32] Vgl. die treffende Kritik an den Arbeiten von Maser und Fest bei Friedländer, Kitsch und Tod, S. 48 ff.

[33] Friedländer, Kitsch und Tod, S. 107.

singulären Charakter. Der Holocaust ist von deutschen Nationalsozialisten durchgeführt worden. Alle Deutschen tragen dafür die
historische Verantwortung.[34]

Andererseits sind, wie schon Hannah Arendt bemerkte, Antisemitismus und Rassismus weder nationalsozialistische noch deutsche 'Erfindungen'.[35] Antisemitismus und Rassismus gab es lange
vor der Zeit des Dritten Reiches und keineswegs nur in Deutschland. Antisemitismus und Rassismus sind innerhalb der Ideologie
aller Faschismen anzutreffen. Allerdings hatten sie nicht bei allen
faschistischen Bewegungen den gleichen Stellenwert.[36]

So haben die italienischen Faschisten zunächst keine antisemitischen Forderungen vertreten.[37] Allerdings war schon die gewaltsame Kampagne der italienischen Faschisten gegen die slawischen
Minderheiten nicht frei von rassistischen Elementen. Ähnliches gilt
für die Politik des faschistischen Staates gegenüber diesen Minderheiten und, was häufig verschwiegen wird, gegenüber den italienischen „Zigeunern" und den „Kolonialvölkern" in Libyen und
Äthiopien.[38] Rassistische, genauer gesagt: „sozialrassistische" und

---

[34] Hierin stimme ich Saul Friedländer völlig zu.

[35] Hannah Arendt, Elemente und Ursprünge totaler Herrschaft (zuerst:
New York 1951); Bd. 2: Imperialismus, Berlin 1975, S. 65 u. ff.

[36] Knappe Hinweise dazu bei: Wolfgang Wippermann, Europäischer Faschismus im Vergleich, Frankfurt a. M. 1983, bes. S. 199 f.; ders., Faschismus
– nur ein Schlagwort? Die Faschismusforschung zwischen Kritik und kritischer Kritik, in: Tel Aviver Jahrbuch für deutsche Geschichte 26, 1987,
S. 346–366, bes. S. 360 ff.

[37] Dazu: Renzo De Felice, Storia degli ebrei italiani sotto il fascismo,
Turin 1961; Meir Michaelis, Mussolini and the Jews: German-Italian Rela-
tions and the Jewish Question in Italy 1922–1945, London 1978; Reiner
Pommerin, Rassenpolitische Differenzen im Verhältnis der Achse Berlin–
Rom 1938–1945, in: Vierteljahreshefte für Zeitgeschichte 27, 1979, S. 646–
660. Diese Autoren betonen mit Nachdruck, daß sich der italienische
Faschismus vom Nationalsozialismus gerade wegen des geringer ausge-
prägten Antisemitismus bzw. Rassismus unterscheiden. Ganz dezidiert bei:
Renzo De Felice, Der Faschismus. Ein Interview von Michael A. Ledeen,
Stuttgart 1977, S. 91 ff. Andere Auffassung dagegen bei: A. James Gregor,
The Ideology of Fascism, New York 1969, S. 246 ff.

[38] Hinweise auf die zwangsweise Internierung von 'Zigeunern' in besonderen Lagern auf Sardinien bei: Donald Kenrick/Grattan Puxon, Sinti und
Roma. Die Vernichtung eines Volkes im NS-Staat, Göttingen 1982 (engl.,
London 1972), S. 85. Weitere Studien zum Schicksal der 'Zigeuner' im
faschistischen Italien liegen m. W. nicht vor.

„kriminalbiologische" Züge findet man auch innerhalb der faschistischen Sozial- und Kriminalpolitik.[39] Schließlich ist daran zu erinnern, daß auch Italien, zwar relativ spät, nämlich 1938 und wohl auch auf Drängen des nationalsozialistischen Bündnispartners[40], antisemitische Gesetze erlassen hat. Die schon vorher von verschiedenen intransigenten Faschisten (etwa in der Zeitschrift ›Difesa della razza‹) vertretenen noch radikaleren rassistischen Forderungen gingen dann in die Programmatik und zum Teil auch Politik der Republik von Salò ein.[41]

Doch diese Überlegungen müßten in weiteren vergleichenden Studien über Faschismus und Rassismus[42] vertieft werden. Notwendig wäre eine genauere Analyse, ob und in welchem Ausmaß rassistische Elemente innerhalb der Ideologie und politischen Praxis der verschiedenen Faschismen zu finden sind. Dabei darf Rassismus keineswegs nur auf Antisemitismus eingegrenzt oder mit ihm identifiziert werden.[43] Auch die übrigen Bestandteile des Ras-

---

[39] Michael Ledeen, Fascist Social Policy, in: I. Horowitz (Hrsg.), The Use and Abuse of Social Sciences, New Brunswick 1971; Dietrich v. Delhaes-Günther, Die Bevölkerungspolitik des Faschismus, in: Quellen und Forschungen aus italienischen Archiven und Bibliotheken 59, 1979, S. 392–419. Vgl. dazu auch die Bemerkung von: Gisela Bock, Zwangssterilisation im Nationalsozialismus. Studien zur Rassenpolitik und Frauenpolitik, Opladen 1986, S. 137: „Ebensowenig wie der Faschismus den Sexismus des Gebärverbots kannte, ebensowenig kannte er die übrigen Formen von gewaltsamem Rassismus und Sexismus, den Versuch, soziale Fragen durch 'Biologie' zu lösen." Diese Aussage kann m. E. nicht aufrechterhalten werden. Hinweise auf die Rezeption der 'kriminalbiologischen' Theorien Cesare Lombrosos im faschistischen Italien bereits bei: E. D. Monachesi, Trends in Criminological Research in Italy, in: American Sociological Review 1, 1936, S. 396–406. (Ich danke Frau Renate Dürr/Berlin für den Hinweis auf die Rezeption Lombrosos und die im folgenden erwähnte Zeitschrift ›Difesa della razza‹, in der verschiedene Varianten des Rassismus vertreten wurden.)

[40] Dies wird vor allem von Pommerin, Rassenpolitische Differenzen (wie Anm. 37), betont.

[41] Dazu mit Hinweisen auf weitere Literatur: Hans-Ulrich Thamer/Wolfgang Wippermann, Faschistische und neofaschistische Bewegungen, Darmstadt 1977, S. 224 f.

[42] Wegweisend dazu m. E. die Studie von Hannah Arendt, Elemente und Ursprünge totaler Herrschaft (wie Anm. 35).

[43] Vgl. dazu die Überblicksdarstellungen von: George L. Mosse, Rassismus. Ein Krankheitssymptom in der europäischen Geschichte des

sismus insgesamt müßten berücksichtigt werden. Dies gilt einmal
für den 'anthropologischen' Rassismus, der von einer Ungleichheit
und Ungleichwertigkeit zwischen Weißen und Farbigen ausgeht.
Dies gilt ferner für verschiedene 'sozialrassistische' und 'kriminalbiologische' Vorstellungen über die erblich bedingten Ursachen
'asozialen' oder 'kriminellen' Verhaltens. Dies gilt schließlich für
verschiedene 'rassenhygienische' oder auch 'sozialhygienische'
Thesen, daß 'asoziale' oder 'kriminelle' Verhaltensweisen sowie verschiedene Krankheiten beseitigt werden könnten, wenn ihre Träger,
d. h. eben 'Asoziale', 'Kriminelle' und 'Erbkranke' durch verschiedene Maßnahmen – von der Zwangssterilisierung und Zwangsasy-
lierung bis hin zur physischen Ausrottung – an der Fortpflanzung
gehindert oder völlig ausgeschaltet würden.

Bedenkt man, daß derartige Vorstellungen auch heute noch vertreten werden, daß der Rassismus genausowenig wie der Faschismus
selber keineswegs 'tot' sind, so wird deutlich, wie notwendig derartige Studien über Faschismus und Rassismus aus historischen und
gegenwartspolitischen Gründen sind.[44]

3.4 Faschismus und Alltagsgeschichte

Sinn und Nutzen von Faschismustheorien sind in den letzten
Jahren keineswegs nur von politisch eher 'rechts' stehenden Personen kritisiert worden. Auch einige, die noch vor kurzem ebenso

19. und 20. Jahrhunderts, Königstein i. T. 1978; Patrik von zur Mühlen, Ras-
senideologien. Geschichte und Hintergründe, Berlin–Bonn 1977; Gunter
Mann (Hrsg.), Biologismus im 19. Jahrhundert, Stuttgart 1973; Heinz-
Georg Marten, Sozialbiologismus. Biologische Grundlagen der politischen
Ideengeschichte, Frankfurt–New York 1983.

[44] Innerhalb des sog. Neofaschismus spielen rassistische, d. h. keines-
wegs mehr 'nur' antisemitische Ideologien eine immer größer werdende
Rolle. Vgl. dazu vor allem: Michael Billig, Die Rassistische Internationale,
Frankfurt a. M. 1981; Patrick Moreau, Die neue Religion der Rasse. Der
Biologismus und die kollektive Ethik der Neuen Rechten in Frankreich und
Deutschland, in: Iring Fetscher (Hrsg.), Neokonservative und 'Neue
Rechte'. Der Angriff gegen Sozialstaat und liberale Demokratie in den Ver-
einigten Staaten, Westeuropa und der Bundesrepublik, München 1983,
S. 117–162. In diesem Sammelband sowie bei: Backes/Jesse, Totalitarismus,
Extremismus, Terrorismus (wie Anm. 26) weitere Hinweise auf neuere Lite-
ratur. Sonst: Wippermann, Europäischer Faschismus im Vergleich, S. 183 ff.

undifferenziert wie äußerst freigebig mit der Vokabel 'faschistisch' oder 'faschistoid' umgingen, bezweifeln nun rückblickend und auch selbstkritisch den 'Ertrag' gerade der neomarxistischen Faschismusdiskussion der 70er Jahre.

Der Journalist Klaus Hartung hat dies in einem jüngst veröffentlichten Aufsatz über den 'Faschismusbegriff der 68er' und die 'Historikerdebatte' getan.[45] Er berichtet, daß er als Teilnehmer der „68er-Bewegung" 1970 nicht mehr „so recht" daran geglaubt habe, daß die „Revolution ... vor der Tür" stehe. Er habe statt dessen einen „ernsthaften Versuch" gemacht, „den Führerschein zu erwerben". Erste „Fahrversuche" habe er auf einem dafür teilweise eingeebneten Trümmergelände an der Berliner Wilhelmstraße Nr. 102 gemacht; dort hatte das Prinz-Albrecht-Palais gestanden, das 1934 Sitz des „Sicherheitsdienstes der SS" geworden war.[46] Doch dies habe er 1970 nicht gewußt. An diese seine Geschichte aus dem Alltag knüpft er einige Bemerkungen über den 'Faschismusbegriff' an, den er und andere '68er' damals benutzt haben. Dieser Begriff sei zu „abstrakt und oberflächlich" gewesen. Die „Auseinandersetzung mit dem Faschismusbegriff" sei ein „Wandern durch die Geschichte der Begriffe" gewesen, „um das Unbegreifliche zu begreifen". Dabei habe man das Konkrete und Naheliegende versäumt, z. B. Kontakte mit „Zeugen und Überlebenden" aufzunehmen und sich, wie sein Beispiel 'Prinz-Albrecht-Palais' es andeute, mit der „Gegenwart der Spuren" auseinanderzusetzen.

Was Klaus Hartung hier fordert, haben viele schon getan. Sie haben 'Zeitzeugen' befragt und nach der 'Gegenwart der Spuren' gesucht, d. h. nach den Deportationsbahnhöfen, Folterkellern der SA, Treffpunkten der Widerstandsgruppen aus der Arbeiterbewegung etc. in ihrer unmittelbaren Nachbarschaft geforscht. Allein oder in Initiativen und sog. 'Geschichtswerkstätten' haben Schüler, Lehrer, Studenten und generell historisch Interessierte Materialien über die Geschichte einzelner Personen, Häuser, Straßen, Dörfer und Stadtteile zusammengetragen, das Leben und Leiden von einzelnen, häufig bereits vergessenen, Widerstandskämpfern und Opfern des Nationalsozialismus erforscht. Diese, wie sie sich auch selber be-

---

[45] Klaus Hartung, Erynnien in Deutschland. Überlegungen zur 'Historikerdebatte', zum Faschismusbegriff der '68er' und zu Peter Schneiders Selbstkritik, in: Niemandsland Jg. 1, H. 2, 1988, S. 88–99.
[46] Dazu: Wolfgang Wippermann, Steinerne Zeugen. Stätten der Judenverfolgung in Berlin, Berlin 1982, S. 41 ff.

zeichnen, Laienhistoriker oder 'Barfußhistoriker' haben so versucht, eine neue Geschichte, eine, wie es heißt, 'Geschichte von unten' oder auch 'Alltagsgeschichte' des Nationalsozialismus zu schreiben.[47]

Dies geschieht meist in bewußter Abgrenzung von der bisherigen professionellen und akademischen Geschichtswissenschaft. Dabei wird in der Regel nicht zwischen den eher positivistisch orientierten und den Historikern unterschieden, die grundsätzlich die Anwendung von Faschismustheorien für möglich und notwendig halten. Den Vertretern beider Richtungen innerhalb der Forschung über Faschismus bzw. Nationalsozialismus wird vorgeworfen, nur das Handeln der Mächtigen zu erforschen und nicht die Auswirkungen der 'großen Politik' auf das Leben der Opfer und 'kleinen Leute' zu analysieren, die Geschichte eher 'erlitten als gemacht' haben. Schüler und Lehrer ergänzten diese Vorwürfe durch die These, daß die bisherige Geschichtswissenschaft und die Schulbücher gerade beim Thema Nationalsozialismus–Faschismus nicht das hervorgerufen hätten, was sie als Voraussetzung einer wirklichen Auseinandersetzung mit der nationalsozialistischen Vergangenheit ansehen, eine 'emotionale Betroffenheit'.[48]

---

[47] Alltagsgeschichtlich orientiert war bereits die 'Fallstudie' über Northeim von: William Sheridan Allen, Das haben wir nicht gewollt, Gütersloh 1966. – Den Anspruch, Alltagsgeschichte zu schreiben, erheben verschiedene lokalhistorische Studien sowie Analysen des Lebens von Arbeitern, Frauen, Jugendlichen und Minderheiten im Dritten Reich. Sie können hier nicht im einzelnen erwähnt werden. Wichtig und durchaus richtungweisend sind: Detlev Peukert, Volksgenossen und Gemeinschaftsfremde. Anpassung, Ausmerze und Aufbegehren unter dem Nationalsozialismus, Köln 1982, der (vgl. bes. S. 16) dabei auch auf die erwähnte Kritik an dem Nutzen von Faschismustheorien eingeht. Ferner: Detlev Peukert/Jürgen Reulecke (Hrsg.), Die Reihen fast geschlossen. Beiträge zur Geschichte des Alltags unterm Nationalsozialismus, Wuppertal 1981; Johannes Beck u. a. (Hrsg.), Terror und Hoffnung in Deutschland 1933–1945. Leben im Faschismus, Reinbek 1980; Harald Focke/Uwe Reimer, Alltag unterm Hakenkreuz, Reinbek 1979; dies., Alltag der Entrechteten, Reinbek 1980; Lutz Niethammer (Hrsg.), Die Jahre weiß man nicht, wo man die heute hinsetzen soll. Faschismuserfahrungen im Ruhrgebiet, Lebensgeschichte und Sozialkultur im Ruhrgebiet 1930–1960, Bd. 1, Bonn 1983; Dieter Galinski u. a. (Hrsg.), Nazis und Nachbarn. Schüler erforschen den Alltag im Nationalsozialismus, Reinbek 1982.

[48] Mit sehr positiver Bewertung gerade dieser Zielsetzung: Wolfgang Wippermann, Das Leben in Frankfurt zur NS-Zeit I–IV, Frankfurt a. M.

'Betroffenheit', 'Geschichte von unten' sowie vor allem 'Alltagsgeschichte' sind inzwischen so häufig gebrauchte Begriffe, daß sie
bereits einen schlagwortartigen Charakter haben. Dennoch sind
diese Bestrebungen durchaus ernst zu nehmen. Ernst zu nehmen ist
vor allem die von diesen 'Alltagshistorikern' vorgetragene Kritik an
der Verwendung der, wie sie meinen, zu abstrakten Faschismustheorien.

Übersehen wird dabei jedoch einmal, daß diese Faschismustheorien keineswegs abstrakt sein müssen. Dies ist dann nicht der Fall,
wenn sie, wie schon wiederholt erwähnt, als 'Theorien mittlerer
Reichweite' innerhalb der konkreten Forschung angewandt werden.
'Abstrakt' bleiben sie nur, wenn man von ihnen globale Deutungen
des Charakters und der Funktion des Faschismus und einfache Re-
zepte zu seiner Überwindung und Bekämpfung erwartet. Dies
können jedoch, wie ebenfalls schon mehrfach betont wurde, die
bisherigen Faschismustheorien nicht leisten.

Übersehen wird zweitens, daß der von den 'Barfußhistorikern'
vorgeschlagene Alternativ- und Gegenbegriff selber unklar und
widersprüchlich ist. Norbert Elias hat diese Kritik in folgende, sehr
treffende Worte gekleidet:

„Der modische Begriff des Alltags wird in der Regel mit einer
Spitze gegen etwas oder auch mit einer Parteinahme für etwas ge-
braucht, was nicht Alltag ist. Aber man muß das gewöhnlich er-
raten; von wenigen Ausnahmen abgesehen, wird nicht klar und
deutlich gesagt, was dieser Nicht-Alltag eigentlich ist, der je
nachdem als Gegenbild abgewertet oder höher bewertet, bekämpft
oder gepriesen werden soll durch das, was man über den Alltag
sagt."[49]

Schließlich ist nachdrücklich zu betonen bzw. zu kritisieren, daß
auch die Alltagsgeschichte nicht ohne die Verwendung von Theorien
und 'systematischen Begriffen' auskommen wird und auskommen
darf. Hans-Ulrich Wehler hat daher recht, wenn er sagt:

„Ohne systematische Begriffe, ohne die Einbettung der Alltags-

---

1986, vgl. bes. die Einleitung zu Bd. I: Die nationalsozialistische Judenverfolgung, S. 9 ff. und Bd. III: Der Alltag, S. 7 ff.

[49] Norbert Elias, Zum Begriff des Alltags, in: Kurt Hammerich/Michael
Klein (Hrsg.), Materialien zur Soziologie des Alltags, Opladen 1978, S. 22–
29, S. 25. Zum folgenden auch: Klaus Bergmann/Rolf Schörken (Hrsg.),
Geschichte im Alltag – Alltag in der Geschichte, Düsseldorf 1982; Wippermann, Frankfurt in der NS-Zeit. III: Der Alltag, S. 13 ff.

geschichte in die Gesellschaftsgeschichte aller Schichten und
Klassen, ohne die Überwindung der bisher vorherrschenden Einsei-
tigkeit und ohne ausgewogene Berücksichtigung der Lebenswelt
aller sozialen Formationen führt der neue Wege definitiv in eine
kurze Sackgasse."[50]
Doch dieses negative Ergebnis *muß* eben nicht sein. Es scheint
möglich zu sein, gerade die Alltagsgeschichte des Nationalsozialismus in die allgemeine 'Gesellschaftsgeschichte' der NS-Zeit ein-
zubetten und dabei auch 'systematische Begriffe' und 'Theorien
mittlerer Reichweite' zu benutzen.[51] Eine derartige 'theoriegeleitete' Alltagsgeschichte kann nicht nur die Nationalsozialismus-,
sondern auch die Faschismusforschung bereichern. Möglich und
vielleicht sogar notwendig wären vergleichende Studien nicht über
den Faschismus bzw. die Faschismen, sondern über die Faschisten,
ihre Bundesgenossen, Gegner und Opfer. Dabei wäre danach zu
fragen, ob es nicht auch im Alltag der faschistischen Regime in
Deutschland und Italien sowie der faschistischen Parteien in anderen Ländern gewisse Gemeinsamkeiten gab, ob 'der' Faschismus
insgesamt nicht nur eine neue Ideologie und eine neue politische Bewegung war, sondern auch eine ebenso neue wie spezifische Menta-
lität und Lebensweise hervorgebracht hat. Dabei könnte man an den
bereits vorliegenden vergleichenden Studien über die faschistischen
Literaten und Intellektuellen anknüpfen.[52]

---

[50] Hans-Ulrich Wehler, Der Bauernbandit als neuer Heros, in: Die Zeit
v. 18.9.1981. Hinweise auf weitere kritische Stimmen: Volker Ullrich, Alltagsgeschichte. Über einen neuen Geschichtstrend in der Bundesrepublik,
in: Neue Politische Literatur 29, 1984, S. 50–71. Kontrovers auch die Diskussion in: Alltagsgeschichte der NS-Zeit. Neue Perspektive oder Trivia-
lisierung? Kolloquien des Instituts für Zeitgeschichte, München 1984.
[51] Dazu demnächst: Wolfgang Wippermann, Nationalsozialismus im
Alltag.
[52] Dazu vor allem: Tarmo Kunnas, Drieu la Rochelle, Céline, Brasilach
et la tentation fasciste, Paris 1972; Alistair Hamilton, The Appeal of Fascism. A Study of Intellectuals and Fascism 1918–1945, London 1971.

ZUSAMMENFASSUNG UND AUSBLICK
AUF DIE ERTRÄGE UND OFFENEN FRAGEN
INNERHALB DER VERGLEICHENDEN
FASCHISMUSFORSCHUNG

Ist Faschismus nur ein Schlagwort? Welchen Sinn und Nutzen haben Faschismustheorien? Kann man an einem allgemeinen Faschismusbegriff festhalten?

Diese Fragen wurden am Anfang dieses Überblicks über die Faschismustheorien in historischer, systematischer und kritischer Perspektive gestellt. Sie können *zusammenfassend* folgendermaßen beantwortet werden:

1. 'Faschismus' war und ist zunächst tatsächlich ein Schlagwort, ein politischer Kampfbegriff, der zur negativen Charakterisierung von Personen, Parteien und Regimen verwandt wurde und wird. Die Analyse der Geschichte des Kampfbegriffs Faschismus kann daher zu wichtigen Erkenntnissen über die Geschichte dieser Personen, Parteien und Regimen einerseits, ihrer Gegner andererseits führen. Der politische Kampfbegriff Faschismus hat nämlich als Faktor und Indikator die realgeschichtliche Entwicklung des Faschismus und des Antifaschismus geprägt und widergespiegelt zugleich.

In dem Kapitel über die Faschismustheorien in historischer Perspektive wurde gezeigt, welche Bedeutung der Kampfbegriff Faschismus innerhalb der Geschichte der 'antifaschistischen' Parteien und Kräfte vor allem in Deutschland hatte.

2. Der Begriff Faschismus wurde und wird zugleich jedoch auch zur Bezeichnung von Theorien verwandt, deren Ziel es ist, Voraussetzungen, Genese, Funktion und Strukturen von Bewegungen und Regimen zu analysieren, die als 'faschistisch' bezeichnet werden.

Sowohl im ersten wie im Kapitel über die Faschismustheorien in systematischer Perspektive wurde jedoch dargelegt, daß es eine umfassende und allgemein anerkannte Theorie des Faschismus nicht gibt. Faschismustheorien sind keine Globaltheorien, sie können jedoch als 'Theorien mittlerer Reichweite' bei der Erforschung der Geschichte des Faschismus bzw. der Faschismen herangezogen werden.

3. Obwohl, wie im dritten Kapitel gezeigt wurde, die Argumente

der Kritiker nicht sehr überzeugend sind, kommt der Frage, ob man an einem allgemeinen Faschismusbegriff festhalten kann oder nicht, eine zentrale Bedeutung zu. Diese Frage kann nur im Rahmen einer *vergleichenden Faschismusforschung* beantwortet werden.

Ausgangspunkt dieser vergleichenden Faschismusforschung kann kein Idealtypus, sondern muß ein *Realtypus Faschismus* sein. Dies heißt einmal, daß von der Geschichte und Entwicklung des italienischen Faschismus auszugehen ist. Dies heißt zweitens, daß nur solche Bewegungen und Regime als faschistisch anzusehen sind, die deutlich erkennbare Ähnlichkeiten mit der namengebenden Partei und dem namengebenden Regime in Italien aufweisen.

Im Hinblick auf ihr *Erscheinungsbild* weisen die folgenden Parteien, die im Europa der Zwischenkriegszeit entstanden sind, Ähnlichkeiten mit dem Partito Nazionale Fascista Mussolinis auf. Es sind dies, aufgelistet nach Größe und Bedeutung: Die NSDAP in Deutschland, die NSDAP und die Heimwehren in Österreich, die ungarischen Pfeilkreuzler, die Eiserne Garde in Rumänien, die kroatische Ustascha, die Falange in Spanien, die Faisceau von Georges Valois, die Jeunesses Patriotes Pierre Taittingers, die Croix de Feu des Obersten de la Rocque, der Francisme Marcel Bucards und der Parti Populaire Français Jacques Doriots in Frankreich, die British Union of Fascists Oswald Mosleys in England, die Lapua-Bewegung in Finnland, der Vlaamsch Nationaal Verband Joris van Severens und die Rex-Bewegung Leon Degrelles in Belgien, die Nationaal Socialistische Beweging Adriaan Musserts in Holland, die Nasjonal Samling Vidkun Quislings in Norwegen sowie schließlich verschiedene Splittergruppen in Dänemark, Schweden, der Schweiz, den baltischen Staaten, der Slowakei, Polen und Portugal.

Diese Parteien und Gruppierungen waren hierarchisch nach dem Führerprinzip gegliedert, verfügten über uniformierte und bewaffnete Abteilungen und wandten einen damals neuartigen und spezifischen politischen Stil an. Dies gilt für die Massenkundgebungen, die Massenaufmärsche, die Betonung des männlichen und jugendlichen Charakters der Partei, die Formen einer gewissen säkularisierten Religiosität, wie sie bei Fahnenweihen, Totenehrungen, bei Liedern und Festen zum Ausdruck kam, und dies gilt schließlich und nicht zuletzt für die kompromißlose Bejahung und Praktizierung der Gewalt in der politischen Auseinandersetzung.

Die genannten faschistischen Parteien verfolgten ferner eine vergleichbare *Ideologie*. Die faschistische Ideologie war mehr als bloß verschleiernde und instrumentalisierende Propaganda und Manipulation. Sie weist sowohl antisozialistische und antikapitalistische, antimodernistische und spezifisch moderne, extrem nationalistische und tendenziell transnationale Momente auf. Dieses ambivalente Verhältnis ist aber nicht bei allen Faschismen in der gleichen Form anzutreffen. Hier gibt es quantitative, aber keine qualitativen Unterschiede zwischen den einzelnen Faschismen und innerhalb der Geschichte einer faschistischen Partei.

Anders ist es im Hinblick auf die von einigen Faschismustheoretikern postulierten spezifischen *Beziehungen* des bzw. der Faschismen zum *Kapitalismus*, zum *Mittelstand*, zum *'autoritären Charakter'*, zum *Prozeß der Modernisierung* und zum *Bonapartismus*. Hier gibt es, soweit man dies beim gegenwärtigen Forschungsstand sagen kann, qualitative Unterschiede.

Da es sowohl schwache wie starke faschistische Bewegungen in hochindustrialisierten wie überwiegend noch agrarisch geprägten Gesellschaften gab, ist es nicht möglich, 'Faschismus' generell als 'Agent' oder als eine spezifische Erscheinungsform des *Kapitalismus* darzustellen. Da die faschistischen Parteien in Ländern entstanden, die sich in sozioökonomischer Hinsicht stark unterschieden, weisen sie auch im Hinblick auf ihre *soziale Basis* deutlich erkennbare Unterschiede auf. Hinzu kommt, daß sich diese soziale Basis, d. h. die soziale Zusammensetzung der Mitglieder und Wähler einzelner faschistischer Parteien im Lauf ihrer Entwicklung häufig gewandelt hat. Wegen dieser sozioökonomischen Unterschiede kann Faschismus ferner auch nicht, wie dies im Rahmen der *Modernisierungsdoktrin* behauptet wird, entweder als antimodernistisch oder als 'Stoß in die Modernität' angesehen werden. Die einzelnen faschistischen Bewegungen haben nämlich sowohl antimodernistische wie spezifisch moderne Ziele verfolgt. Maßgebend dafür war auch der jeweilige sozioökonomische Entwicklungsgrad der einzelnen Länder. Ob vor allem Menschen mit bestimmten *'autoritären' Verhaltensweisen* im besonderen Maße von den verschiedenen faschistischen Bewegungen angezogen wurden oder nicht, kann angesichts des heutigen Forschungsstandes überhaupt noch nicht behauptet werden. Kaum erforscht ist schließlich die Frage nach den Beziehungen zwischen den *bonapartistischen* Parteien und Regimen, die im 19. Jahrhundert in verschiedenen Ländern entstanden sind, und den faschistischen Bewegungen und Regimen des 20. Jahrhunderts.

Innerhalb der vergleichenden Faschismusforschung sind also die 'offenen Fragen' gewichtiger und zahlreicher als die 'Erträge'. Gleichwohl sollte man sich schon deshalb nicht davon abbringen

lassen, eine vergleichende Faschismusforschung unter Verwendung
der bisher entwickelten Faschismustheorien fortzusetzen, weil die
in diesem Zusammenhang vorgeschlagenen Alternativen keineswegs überzeugen. Dies gilt sowohl für den Vorschlag, generell auf
Theorien zugunsten einer, was immer darunter vorgestellt werden
mag, rein empirischen Forschung zu verzichten, wie für die häufig
politisch motivierte Mahnung, anstelle der Faschismus- Totalitarismustheorien anzuwenden. Die Unterschiede, die zwischen den
in diesem Zusammenhang genannten 'totalitären' Regimen in
Deutschland, Italien, der Sowjetunion, China etc. bestehen, sind auf
jeden Fall noch größer als die zwischen den einzelnen Faschismen.

Dringend notwendig ist jedoch die Klärung der in der bisherigen
vergleichenden Faschismusforschung weitgehend vernachlässigten
Frage nach den Beziehungen zwischen Faschismus (den einzelnen
Faschismen) und dem Rassismus. Möglich wäre die Anwendung
von alltagsgeschichtlichen Fragestellungen und Methoden. Doch
auch dabei, d. h. bei einer vergleichenden Geschichte nicht der Faschismen, sondern der Faschisten müßten die innerhalb der theoretischen Faschismusdiskussion aufgeworfenen Fragen und Probleme
beachtet werden.

So wäre zunächst zu klären, welchen *Stand im Modernisierungs-
prozeß* das jeweilige Land erreicht hat und ob es hier im 19. Jahrhundert *bonapartistische Bewegungen und Regime* gegeben hat, die als
Vorläufer der faschistischen Bewegungen in Frage kommen. Nach
der Darstellung der Voraussetzungen des Faschismus, bzw. der jeweiligen faschistischen Partei müßte ihr *Verhältnis zum Kapitalismus* bzw. ihre politischen und wirtschaftlichen Beziehungen zu
industriellen und agrarischen Kreisen geklärt werden. Außerdem
muß untersucht werden, aus welchen *sozialen Schichten* sich die
Mitglieder und Wähler der betreffenden Partei rekrutieren und
welche *sozialpsychologischen Faktoren* dabei eine Rolle spielen.

Bei der Darstellung und Erklärung der 'Machtergreifung' und
Machtfestigung der Faschismen in Deutschland und Italien könnten
dann Elemente der *Bonapartismustheorie* verwandt werden. Beide
Faschismen kamen nämlich in der Situation einer Krise und eines gewissen 'Gleichgewichts' zwischen den bürgerlichen und proletarischen Parteien zur Macht, wobei einflußreiche Kreise innerhalb der
Industrie, der Landwirtschaft, des Militärs, der Bürokratie und
der bürgerlichen Parteien sich bereit zeigten, mit der faschistischen
Partei ein 'Bündnis' abzuschließen. Gemeinsames Ziel der Bündnispartner war es, durch einen Lohnstopp, die Zerschlagung der Orga-

nisationen der Arbeiterbewegung, durch Arbeitsbeschaffungsmaßnahmen und bzw. oder durch Aufrüstung und Krieg die Krise zu
überwinden. Im Besitz der 'Exekutive' und gestützt auf ihre Massenorganisationen konnte sich jedoch die faschistische Partei mehr
und mehr gegenüber ihren Bündnispartnern 'verselbständigen'.
Diese 'Verselbständigung' ging im nationalsozialistischen Deutschland weiter als im faschistischen Italien. Daher war der Nationalsozialismus in der Lage, eine Außen- und Rassenpolitik zu betreiben,
die zum Teil gegen die ökonomischen und sozialen Interessen seiner
Bündnispartner innerhalb der Wirtschaft, der Bürokratie und des
Militärs verstieß. Das unterschiedliche Ausmaß dieser 'Verselbständigung der Exekutive' erklärt die unterschiedliche Radikalität wie
die ebenfalls unterschiedlichen Chancen für den Sturz des jeweiligen Regimes und – vermutlich – das in vieler Hinsicht unterschiedliche Alltagsleben in beiden faschistischen Staaten.

KOMMENTIERTES LITERATURVERZEICHNIS

1. Sammlungen von Faschismustheorien

Ernst Nolte (Hrsg.), Theorien über den Faschismus, Berlin–Köln 1967 (und weitere Auflagen).
(Die bisher umfassendste Sammlung von Faschismustheorien aller politischen Richtungen von 1921–1961.)
Theo Pirker (Hrsg.), Komintern und Faschismus. Dokumente zur Geschichte und Theorie des Faschismus, Stuttgart 1965.
(Enthält überwiegend Aufsätze aus der ›Internationalen Pressekorrespondenz‹. Diese – damals schwer zugängliche – Zeitschrift liegt inzwischen genau wie die Protokolle der Kongresse der Kommunistischen Internationale als Reprint vor.)
Paolo Alatri (Hrsg.), L'antifascismo italiano, Rom 1961.
Constanzo Casucci (Hrsg.), Il fascismo. Antologie di scritti critici, Bologna 1961.
(Wichtige Sammlungen von Theorien über den italienischen Faschismus, die leider nicht in deutscher Übersetzung vorliegen.)
Wolfgang Abendroth (Hrsg.), Faschismus und Kapitalismus, Frankfurt a. M. 1967 (und weitere Auflagen).
(Enthält Aufsätze August Thalheimers, Otto Bauers, Arthur Rosenbergs und Herbert Marcuses.)
Gruppe Arbeiterpolitik (Hrsg.), Der Faschismus in Deutschland. Analysen der KPD-Opposition aus den Jahren 1928 bis 1933, Frankfurt a. M. 1973.
Gruppe Arbeiterpolitik (Hrsg.), Volksfront, ihre Ursachen und ihre Folgen am Beispiel Frankreichs und Spaniens. Artikel aus dem ›Internationalen Klassenkampf‹ von 1935–1939, Bremen o. J.
(Diese Sammlungen von Aufsätzen aus Zeitschriften der KPD-Opposition sind eine notwendige Ergänzung des von Abendroth herausgegebenen Sammelbandes mit Aufsätzen von Thalheimer u. a.)
Helmut Dubiel/Alfons Söllner (Hrsg.), Wirtschaft, Recht und Staat im Nationalsozialismus. Analysen des Instituts für Sozialforschung 1939–1942, Frankfurt a. M. 1981.
(Aufsätze von Horkheimer, Pollock, Neumann, Gurland, Kirchheimer und Marcuse, die überwiegend aus der – inzwischen als Reprint vorliegenden – ›Zeitschrift für Sozialforschung‹ stammen.)
Wolfgang Luthardt (Hrsg.), Sozialdemokratische Arbeiterbewegung und Weimarer Republik. Materialien zur gesellschaftlichen Entwicklung 1927–1933, Bd. 1–2, Frankfurt a. M. 1978.

(Enthält auch einige Beiträge sozialdemokratischer Autoren, die sich
direkt und indirekt mit der Faschismusproblematik befassen. Eine eini-
germaßen vollständige Sammlung von sozialistischen und sozialdemokratischen Faschismustheorien fehlt bisher. Im Nachdruck und in deutscher Übersetzung liegen aber die einschlägigen Monographien von
Ernst Fraenkel und Franz Neumann vor.)
Reinhard Kühnl (Hrsg.), Texte zur Faschismusdiskussion 1: Positionen und
Kontroversen, Reinbek 1974.
(Abdruck einiger Aufsätze zum Problem des 'deutschen Faschismus', die
vornehmlich aus der Zeitschrift ›Das Argument‹ aus den Jahren 1964–
1970 stammen. In dem Band ›Texte zur Faschismusdiskussion 2‹, Reinbek 1979 – erwähnt Kühnl auch nichtmarxistische Interpretationen und
zensiert sie danach, ob sie mit seiner Auffassung übereinstimmen oder
nicht.)
Henry A. Turner (Hrsg.), Reappraisals of Fascism, New York 1976.
(Enthält einige neuere Beiträge zur Faschismusproblematik.)

2. Überblicke über die Faschismustheorien

Ernst Nolte, Vierzig Jahre Theorien über den Faschismus, in: ders. (Hrsg.),
Theorien über den Faschismus, Köln–Berlin 1967, S. 1–75.
(Darstellung der konservativen, liberalen, sozialistischen und kommunistischen Faschismustheorien und des faschistischen Selbstverständnisses; Differenzierung in 'singularisierend' und 'generisch', 'autonomi-
stisch' und 'heteronomistisch'.)
Renzo De Felice, Die Deutungen des Faschismus, Göttingen 1980 (ital.
1969).
(Überblick über die italienischen und einige Faschismustheorien aus dem
internationalen Bereich. Die deutsche Übersetzung ist mit Hinweisen
auf weitere Literatur, insbesondere auf Übersetzungen einiger italienischer Werke, versehen.)
Gerhard Schulz, Faschismus – Nationalsozialismus. Versionen und theoretische Kontroversen 1922–1972, Berlin 1974.
(Schulz meint, daß Totalitarismus- besser als Faschismustheorien geeignet seien, die historische Wirklichkeit zu erklären. In den von ihm vor-
gestellten – vornehmlich deutschen – Faschismustheorien will er ferner
nur „Versionen und theoretische Kontroversen" sehen. Dennoch erwei-
tert er, gewissermaßen wider Willen, die Kenntnis über die Geschichte
der Faschismustheorien von 1922 bis 1972.)
Wolfgang Wippermann, Zur Analyse des Faschismus. Die sozialistischen
und kommunistischen Faschismustheorien 1921–1945, Frankfurt a. M.
1981.
(Behandelt knapp die Faschismusdiskussion der Sozialdemokraten und
Sozialisten, Kommunisten sowie der sozialistischen und kommunisti-

schen Splittergruppen, vornehmlich in Deutschland in der Zeit von 1921
bis 1945.)

Martin Kitchen, Fascism, London 1976.

(Kitchen behandelt kommunistische, psychologische Theorien und
Ernst Noltes Theorie des Faschismus; ferner geht er ein auf das Verhältnis zwischen dem Faschismus einerseits, der Industrie, dem Mittelstand und dem Bonapartismus andererseits. Seine Gliederung ähnelt
daher der der ersten Auflagen dieses Bandes.)

Helga Grebing, Aktuelle Theorien über Faschismus und Konservativismus.
Eine Kritik, Stuttgart 1974.

(Knappe und, wie der Titel verspricht, kritische Auseinandersetzung mit
einigen neueren, vornehmlich deutschen Faschismustheorien.)

Heinrich August Winkler, Die 'neue Linke' und der Faschismus: Zur Kritik
neomarxistischer Theorien über den Nationalsozialismus, in: ders.,
Revolution, Staat, Faschismus. Zur Revision des Historischen Materialismus, Göttingen 1978, S. 65–118.

(Winkler geht noch schärfer als Grebing mit den neomarxistischen
Faschismustheorien ins Gericht, ohne allerdings die Legitimität eines allgemeinen Faschismusbegriffs grundsätzlich in Zweifel zu ziehen.)

Karl Dietrich Bracher, Zeitgeschichtliche Kontroversen. Um Faschismus,
Totalitarismus, Demokratie, München 1976.

(Eine Sammlung von Aufsätzen Brachers, die das Ziel haben, die Verwendung eines allgemeinen Faschismusbegriffs generell zu bezweifeln und die
Notwendigkeit, am Totalitarismusbegriff festzuhalten, zu bekräftigen.)

Gerhard Lozek/Rolf Richter, Legende oder Rechtfertigung? Zur Kritik der
Faschismustheorien in der bürgerlichen Geschichtsschreibung, Berlin
(Ost) 1979.

(Gewissermaßen eine Antwort auf die Kritik von Grebing, Winkler,
Wippermann und vor allem von Bracher an der marxistischen Faschismusdiskussion. Neben personalistischen und an den Totalitarismustheorien orientierten Deutungen des Nationalsozialismus werden auch
solche scharf kritisiert, die auf die Beziehungen zwischen Faschismus,
dem Mittelstand und dem Bonapartismus eingehen. Ebenfalls kritisiert
wegen ihres „Geschichtsfatalismus und Revoluzzertums" werden verschiedene neomarxistische Publikationen aus der Bundesrepublik.
Autoren aus anderen Ländern werden – mit der Ausnahme von einigen
Amerikanern – so gut wie gar nicht zur Kenntnis genommen.)

Richard Saage, Faschismustheorien, München 1976.

(Stellt eine Auseinandersetzung mit neueren Forschungsergebnissen
über die soziale Basis – Mittelstands- oder Volkspartei – und die soziale
Funktion – Verhalten der deutschen Industrie – des Nationalsozialismus
dar.)

Gerhard Schreiber, Hitler-Interpretationen 1923–1983. Ergebnisse, Methoden und Probleme der Forschung, Darmstadt 1984, ²1988 (mit anno-
tierter Bibliographie für die Jahre 1984–1988).

(Es werden keineswegs nur 'Hitler-Interpretationen' im engeren Sinne vorgestellt, sondern auch verschiedene, vor allem zeitgenössische, Arbeiten über das Faschismus-Problem überhaupt.)
Wolfgang Wippermann, Forschungsgeschichte und Forschungsprobleme, in: ders. (Hrsg.), Kontroversen um Hitler, Frankfurt a. M. 1986, S. 13–118.
(Die 'Kontroversen um Hitler' werden im Rahmen der Entwicklung der allgemeinen Nationalsozialismus- und Faschismusforschung behandelt.)
Wolfgang Schieder, Faschismus, in: Sowjetsystem und Demokratische Gesellschaft. Eine vergleichende Enzyklopädie, Bd. 2 Freiburg i. Br. 1968, Sp. 439–477.
(Enthält einen knappen, aber sehr konzisen Überblick über die Entwicklung der marxistischen und 'bürgerlichen' Faschismustheorien sowie die Geschichte einzelner Faschismen. Er ist gerade heute als Einstieg in die Beschäftigung mit der Faschismusproblematik allgemein besonders gut geeignet.)

3. Überblicke über die vergleichende Faschismusforschung

Carl Landauer/Hans Honegger (Hrsg.), Internationaler Faschismus. Beiträge über Wesen und Stand der faschistischen Bewegungen und über den Ursprung ihrer leitenden Ideen und Triebkräfte. Mit einem Schlußwort von J. J. Bonn, Karlsruhe 1928.
Julius Deutsch (Hrsg.), Der Faschismus in Europa. Eine Übersicht, Wien 1969.
(Diese beiden Sammelbände sind zwar noch nicht als Forschungen, sondern eher als antifaschistische Kampfschriften zu bezeichnen, was besonders für den von Julius Deutsch im Auftrag der 'Internationalen Kommission zur Abwehr des Faschismus' herausgegebenen Band gilt. Dennoch sind sie auch unter wissenschaftlichen Gesichtspunkten der Beachtung wert, weil sie zeigen, daß bereits Zeitgenossen die Notwendigkeit erkannt haben, 'Faschismus' in vergleichender Perspektive zu analysieren.)
Ernst Nolte, Der Faschismus in seiner Epoche. Die Action française. Der italienische Faschismus. Der Nationalsozialismus, München 1963.
Ders., Die faschistischen Bewegungen. Die Krise des liberalen Systems und die Entwicklung der Faschismen, München 1966 (weitere Auflagen); erweiterte Ausgabe unter dem Titel: Die Krise des liberalen Systems und die faschistischen Bewegungen, München 1968.
(Noltes Studien zunächst über den italienischen Faschismus, den Nationalsozialismus und die Action française, dann zu den übrigen Faschismen in Europa bis 1945 stellen nicht nur den Beginn der vergleichenden Faschismusforschung dar, sie sind in vieler Hinsicht bis heute nicht übertroffen und überholt.)

Eugen Weber, Varieties of Fascism. Doctrines of Revolution in the 20th Century, London 1964.

(Kurz nach und noch weitgehend unabhängig von Noltes erster Arbeit hat der amerikanische Historiker Weber eine knappe, mit einigen Dokumenten versehene, Analyse der Faschismen in Deutschland, Italien, Ungarn, Rumänien, England, Spanien und Frankreich vorgelegt, wobei er noch mehr als Nolte die 'revolutionären' Komponenten des Faschismus überhaupt betont.)

Hans Rogger/Eugen Weber (Hrsg.), The European Right. A Historical Profile, Stanford 1965.

(Sehr umfang- und materialreicher Sammelband mit Beiträgen zur Geschichte konservativer und faschistischer Bewegungen und Regime in Europa, der innerhalb der deutschen Faschismusdiskussion viel zu wenig rezipiert wurde und dessen Ergebnisse zum Teil heute noch nicht überholt sind.)

Walter Laqueur/George L. Mosse (Hrsg.), Internationaler Faschismus 1920–1945, München 1966 (engl. 1966).

(Sonderband des ›Journal of Contemporary History‹ mit Beiträgen zur Geschichte der Faschismen in Frankreich, Italien, Rumänien, Österreich, Norwegen und Spanien, dessen Ergebnisse aber nicht systematisch zusammengefaßt wurden.)

Francis L. Carsten, Der Aufstieg des Faschismus in Europa, Frankfurt a. M. 1968 (engl. 1967).

(Carsten beschreibt die Geschichte der Faschismen in Italien, Deutschland sowie – in allerdings sehr knapper Form – in Finnland, Ungarn, Rumänien, Spanien, Belgien, England und Österreich.)

Stuart J. Woolf (Hrsg.), European Fascism, London 1968.

Ders., (Hrsg.), The Nature of Fascism, London 1968.

(Sehr wichtige Beiträge zur Geschichte einzelner Faschismen und zu theoretischen Problemen der Faschismusforschung überhaupt. Beide Bände sind daher keineswegs überholt.)

Fascism and Europe. An International Symposium, Bd. 1–2, Prag 1970.

(Beide Bände enthalten die Referate einer internationalen Konferenz über empirische und theoretische Probleme der Faschismusforschung, die noch 1969, also ein Jahr nach der gewaltsamen Beendigung des 'Prager Frühlings', in Prag stattfand. Die Konferenz bzw. die beiden Tagungsbände sind deshalb so wichtig, weil sich hier zum ersten – und sieht man von einigen ungarischen und polnischen Historikern ab – auch zum letzten Mal Forscher aus Osteuropa an der Diskussion über Fragen der vergleichenden Faschismusforschung beteiligt haben. Besonders bemerkenswert ist der dann auch nachgedruckte Aufsatz des ungarischen Historikers Miklós Lackó, Zur Frage der Besonderheiten des südosteuropäischen Faschismus, in: Bd. 2, S. 1–22.)

Nicholas M. Nagy-Talavera, The Green Shirts and the Others. A History of Fascism in Hungary and Rumania, Stanford 1970.

(Nagy-Talavera geht zwar nur auf die Geschichte der faschistischen Bewegungen bzw. Regime in Ungarn und Rumänien ein, dennoch ist seine Studie hier zu erwähnen, weil sie ganz dezidiert von einer vergleichenden Perspektive ausgeht.)

Charles F. Delzell (Hrsg.), Mediterranean Fascism 1919–1945, New York 1970.

Gilbert Allardyce (Hrsg.), The Place of Fascism in European History, Englewood Cliffs 1971.

H. R. Kedward, Fascism in Western Europe 1900–1945, London 1973.

Paul M. Hayes, Fascism, London 1973.

Heinz Lubasz (Hrsg.), Fascism: Three Major Regimes, New York 1973.

Alan Cassel, Fascism, New York 1975.

Otto Ernst Schüddekopf, Bis alles in Scherben fällt. Die Geschichte des Faschismus, Gütersloh o. J. (engl. 1973).

(Bei diesen Arbeiten handelt es sich meist um Sammelbände (sog. 'text books') und sehr allgemeine Überblicksdarstellungen unterschiedlicher Qualität. Neue und wichtige Hinweise und Anregungen für die vergleichende Faschismusforschung sind hier nicht zu finden.)

Michael A. Ledeen, Universal Fascism. The Theory and Practice of the Fascist International, 1928–1936, New York 1972.

(Im Mittelpunkt der Untersuchung steht der 1934 in Montreux abgehaltene Kongreß der sog. Faschistischen Internationale, einer zwar interessanten, aber letztlich bedeutungslosen Erscheinung. Ledeens, in Deutschland kaum rezipiertes, Buch ist deshalb so wichtig, weil er sehr dezidiert auf die Unterschiede verweist, die zwischen den einzelnen Faschismen bestehen.)

Tarmo Kunnas, Drieu la Rochelle, Celine, Brasillach et la tentation fasciste, Paris 1972.

Alistair Hamilton, The Appeal of Fascism. A Study of Intellectuals and Fascism 1918–1945, London 1971.

(Beide Studien über die faschistischen Intellektuellen in verschiedenen Ländern stellen insofern einen, in Deutschland kaum zur Kenntnis genommenen, Beitrag zur vergleichenden Faschismusforschung bzw. der vergleichenden Erforschung der Faschisten dar.)

A. James Gregor, The Ideology of Fascism, New York 1969.

Ders., The Fascist Persuasion in Radical Politics, Princeton 1974.

(Die Arbeiten Gregors sind vielleicht die wichtigsten, auf jeden Fall aber die originellsten Beiträge zum Faschismusproblem überhaupt, die nach Noltes Studien erschienen sind. Gregor geht davon aus, daß der Faschismus über eine modernisierende und revolutionäre Zielsetzung verfügt habe, wobei er jedoch zum 'Faschismus' auch den Peronismus, die Befreiungsbewegungen der Dritten Welt und Teile der Protestbewegungen in den USA und Europa rechnet. Insofern hat der so weit gefaßte 'Faschismus' nach Gregor wieder Ähnlichkeit mit dem Kommunismus.)

Walter Laqueur (Hrsg.), Fascism: A Reader's Guide, Berkeley 1976.

(Enthält verschiedene Studien zu empirischen und theoretischen Problemen der Faschismusforschung. Besonders wichtig und wegweisend für die vergleichende Faschismusforschung ist der Aufsatz von: Juan Linz, Notes Toward a Comparative Study of Fascism in Sociological Historical Perspective.)

Renzo De Felice, Der Faschismus. Ein Interview von Michael A. Ledeen. Mit einem Nachwort von Jens Petersen, Stuttgart 1977 (ital. 1975).

(De Felice wendet sich mit der Behauptung, daß der italienische Faschismus im Unterschied zum Nationalsozialismus eine 'Modernisierungsdiktatur' war, die sich auf „aufsteigende Mittelschichten" gestützt habe, ganz dezidiert gegen die Verwendung eines allgemeinen Faschismusbegriffes und damit auch gegen die Fortsetzung der vergleichenden Faschismusforschung.)

Wolfgang Schieder (Hrsg.), Faschismus als soziale Bewegung. Deutschland und Italien im Vergleich, Hamburg 1976.

(Enthält die Referate des Braunschweiger Historikertages über die soziale Basis und soziale Funktion des italienischen Faschismus und des Nationalsozialismus. Die vergleichende Perspektive wird vor allem von Wolfgang Schieder in der Einleitung betont und herausgearbeitet.)

Hans-Ulrich Thamer/Wolfgang Wippermann, Faschistische und neofaschistische Bewegungen. Probleme empirischer Faschismusforschung, Darmstadt 1977.

(Enthält Ausführungen über methodologische Probleme der empirischen bzw. vergleichenden Faschismusforschung, Darstellungen der Geschichte der Faschismen in Spanien, Argentinien, Südosteuropa, Frankreich und Italien sowie einen ›Versuch einer Typologie der Faschismen‹.)

Stein U. Larsen, u. a. (Hrsg.), Who were the Fascists? Social Roots of European Fascism, Bergen 1980.

(Der umfang- und materialreiche Sammelband enthält die Referate einer internationalen Tagung zur Faschismusproblematik überhaupt. Im Mittelpunkt steht die Frage nach der sozialen Herkunft der Mitglieder einzelner faschistischen Bewegungen. In diesem Zusammenhang werden sehr wichtige und wegweisende Fragestellungen erarbeitet und im Hinblick auf die Geschichte einiger Faschismen, vor allem in Skandinavien, Österreich und Frankreich auch in bisher unübertroffener Weise beantwortet.)

Dietrich Eichholtz/Kurt Gossweiler (Hrsg.), Faschismusforschung. Positionen, Probleme, Polemik, Berlin (Ost) 1980.

(Enthält außer Aufsätzen über den Nationalsozialismus je einen Beitrag über den sog. Neofaschismus und den 'Faschismus in Lateinamerika'. In der Einleitung wird nicht nur zugegeben, daß in diesem Band „spezielle Beiträge zum Faschismus in den südosteuropäischen Ländern, in Italien, Portugal und Spanien" fehlen, sondern daß es in der DDR bisher „nur erste Ansätze zu vergleichenden Untersuchungen faschistischer Bewegungen und Regimes" (S. 17) gebe. Damit wurde von seiten der Historiker der DDR zum ersten Mal die Notwendigkeit einer vergleichenden Faschismusforschung betont. Zu diesem Desiderat der Forschung liegen jedoch bisher keine weiteren Arbeiten aus der DDR vor.)

Stanley G. Payne, Fascism. Comparison and Definition, Madison 1980.
(Payne, der als bester Kenner der Geschichte der Falange und des Franco-Regimes anzusehen ist, hat hier eine theoriegeleitete, vergleichende Analyse der Faschismen vorgelegt und sich für die Beibehaltung eines generischen Faschismusbegriffs ausgesprochen. Mit diesem Buch sind Marksteine für die weitere vergleichende Faschismusforschung gesetzt worden.)

Wolfgang Wippermann, Europäischer Faschismus im Vergleich (1922–1982), Frankfurt a. M. 1983.
(Ausgehend von der Mahnung Angelo Tascas, „Faschismus definieren, heißt seine Geschichte schreiben", wird die Geschichte des Partito Nazionale Fascista und der NSDAP sowie derjenigen Parteien beschrieben, die in der Zwischenkriegszeit in Österreich, Ungarn, Rumänien, Jugoslawien, Frankreich und Spanien entstanden sind und die sich mehr oder minder deutlich am faschistischen und nationalsozialistischen Vorbild orientierten. Neben den kleineren faschistischen Bewegungen in England, Finnland, Dänemark, Schweden, der Schweiz und Norwegen werden auch, allerdings noch knapper, die 'neofaschistischen' Gruppierungen in der Bundesrepublik, Italien, Frankreich und England behandelt. In einem abschließenden systematischen Vergleich wird auf Gemeinsamkeiten und Unterschiede zwischen diesen Faschismen in den Bereichen der Ideologie, des Erscheinungsbildes sowie der sozialen Strukturen und historischen Voraussetzungen hingewiesen. Ziel ist die, wie gesagt, beschreibende Definition eines Realtyps Faschismus.)

AUTOREN- UND PERSONENREGISTER